T'es pas mort !

Du même auteur

GALLIMARD

**Beaux enfants,
vous perdez la plus belle rose**
1979, traduit par Laure Bataillon

Antonio Skármeta

T'es pas mort !

TEXTE FRANÇAIS
DE LAURE BATAILLON

Éditions du Seuil

COLLECTION ANIMÉE PAR
CLAUDE DUNETON, NICOLE VIMARD ET EDMOND BLANC.

En couverture : illustration
Christian Vicini.

Titre original : *No pasó nada.*
Editorial Pomaire, Barcelone.
ISBN original : 84-286-0568-8.
© 1980, Antonio Skármeta.

ISBN : 2-02-006223-2.
© Éditions du Seuil pour la traduction française.

Le 11 septembre 1973 il y a eu un coup d'État militaire au Chili et on a assassiné le président Allende et beaucoup de personnes sont mortes et les avions ont jeté des bombes sur le palais de la présidence et chez nous on a une grande photo où on voit le palais en flammes. Le 13 septembre c'était mon anniversaire et mon père m'avait offert une guitare. Moi, à l'époque, je voulais devenir chanteur. J'aimais bien les variétés à la télé, je m'étais laissé pousser les cheveux et, avec les copains du quartier, on allait chanter dans les rues et on voulait former un groupe pour jouer dans les fêtes des lycées. Mais je n'ai jamais pu en profiter de ma guitare parce que le jour même de mon anniversaire il a fallu aller habiter chez ma tante : on avait appris que la police recherchait mon père. Plus tard, mon père a écrit à ma tante de vendre la guitare parce qu'on l'avait renvoyée de l'hôpital où elle travaillait.

Là-bas, au Chili, on a renvoyé beaucoup de gens de leur travail et maintenant les choses coûtent très cher. Moi, maintenant, ça m'est égal qu'on ait vendu la guitare parce que je ne veux plus être chanteur. Je veux être écrivain. Mon prof au lycée dit que je suis doué, même si je ne peux pas encore écrire très bien en français. Mais ça, c'est un truc qui s'arrangera, parce que, quand on est arrivés ici, mon père, ma mère, mon plus jeune frère et moi, aucun de nous ne savait le français. C'est pas que maintenant je me prenne pour Victor Hugo, mais enfin je me défends. Et puis j'ai une copine française : Édith. On se voit tous les jours depuis trois mois. On est dans le même lycée et, après les cours, je vais chez elle, et ce qui me plaît le plus c'est quand on reste seuls à la maison et qu'on peut s'embrasser tant qu'on veut. Telle-ment même qu'après on est tout rouge. Moi, toutes les fois que je peux, je vais voir le Paris-Saint-Germain au parc des Princes, mais quand même mon joueur préféré c'est Rocheteau. Je trouve qu'il a un sacré punch et il me rappelle beaucoup un Chilien qui s'appelle Cazelly et qui jouait au Colo du temps de l'Unité populaire et qui maintenant triom-phe en Espagne. Christian Lopez comme stoppeur il est drôlement bien aussi. Je suis vachement content quand c'est les Verts qui gagnent et je n'aime pas qu'ils perdent mais je ne suis quand même pas de ces fanas qui portent leur T-shirt et qui vont au stade avec drapeaux et trompettes. Chez moi, on est tous pour les Verts et tous antifascistes. Mon père il est sûr qu'un gouvernement comme celui de la junte militaire au Chili ne peut pas durer longtemps parce que personne ne l'aime et que les gens là-bas souffrent beaucoup.

Au lycée, avant que j'arrive, pas un type de ma classe ne savait où était le Chili. Alors je leur ai montré sur la carte. Il y en avait qui rigolaient parce qu'ils ne pensaient pas qu'un pays aussi mince ça pouvait exister. Sur la carte, même, on aurait dit une nouille. On m'a demandé combien de personnes pouvaient tenir là-dedans. Quand je leur ai dit dix millions et à l'aise, ils ont cru que je me foutais d'eux. J'en ai profité pour leur dire que le stade national de Santiago est plus grand que le parc des Princes et qu'on y avait disputé la coupe du monde en soixante-deux, la fois où le Brésil est arrivé premier, puis la Tchécoslovaquie et, en troisième, le Chili. Ce qu'ils ne savent pas non plus, c'est que les militaires, en soixante-treize, ont enfermé dans le stade beaucoup de gens pour les torturer et les assassiner et c'est là qu'est mort mon oncle Rafael qui était professeur et qui était le meilleur ami de papa. Mais ces trucs-là je ne les raconte presque jamais parce qu'après les gens ont le cafard. Maintenant, c'est pas le Brésil la meilleure équipe du monde, c'est l'Argentine. Mes copains qui sont restés au Chili, je leur envoie des cartes postales avec des photos de Platini et de Rocheteau.

Au début, ici, on n'arrivait pas à s'habituer. Mon père et ma mère n'avaient pas de travail, mon petit frère était tombé malade avec beaucoup de fièvre à cause du changement de climat et on vivait tous les quatre dans une seule pièce chez un ami français. C'était maman qui souffrait le plus de la situation parce qu'à Santiago elle avait une grande maison avec un patio et beaucoup de pièce où chacun avait son coin pour faire ce qu'il voulait. Moi, celui qui m'embête le plus ici, c'est mon petit frère parce qu'il ne comprend pas beaucoup le français et chaque fois qu'on regarde la télé il me demande tout le temps : qu'est-ce qu'ils disent, je lui traduis mais du coup j'écoute plus les acteurs et je perds la moitié de l'histoire et mon frère il continue de m'emmerder pour que je lui explique tout jusqu'à ce que j'en aie marre et que je lui envoie une baffe, alors il se met à chialer, alors ma mère rapplique et m'engueule moi, et quand le vieux rentre de son travail elle lui sort que ça peut pas durer comme ça, qu'elle va repartir au Chili, qu'elle a rien à faire ici et mon papa du coup il va au lit sans manger.

Ici, en hiver, c'est marrant, la nuit tombe très vite. Quand on sort du bahut, en décembre, Édith et moi, il fait presque noir. Pour nous deux, d'ailleurs, c'est pas plus mal. On sait toujours où il y a des recoins où on peut aller se mettre un moment. A Santiago, les nuits sont courtes et il y a cent fois plus de soleil qu'à Paris et mille fois plus d'oiseaux, et puis il y a aussi une chaîne de montagne très belle à l'horizon, la Cordillère, qui a toujours de la neige au sommet. Il y a aussi beaucoup d'insectes, des chiens en vadrouille et des mouches. Ici, à Paris , il n'y a pratiquement pas de mouches, ça doit être à cause de l'hygiène.

C'est moi qui ai appris le français le premier dans la famille et chaque fois que le téléphone sonnait papa m'envoyait répondre. Quand je n'étais pas à la maison, papa et maman laissaient sonner parce qu'ils avaient honte de répondre. Et quand j'arrivais, ils m'attrapaient parce que j'avais pas été là quand le téléphone sonnait. Maintenant, il peut bien sonner tant qu'il veut, mais les premiers mois, ça dépendait du téléphone qu'on ait de quoi manger. Les parents avaient trouvé un travail : donner des leçons d'espagnol. Comme ils sont profs tous les deux c'était pas dur pour eux de donner des cours. Moi, je leur écrivais sur une feuille l'adresse que les élèves me donnaient par téléphone et le jour où ils voulaient la leçon.

Au lycée, au début, je n'avais pas d'amis. Aux récrés, je retrouvais mon petit frère et on les passait, appuyés contre un mur, à manger notre sandwich et à prendre le soleil. Quand il y en avait et le peu qu'il y avait. Moi, je suis le meilleur preneur de soleil du

11

monde. Sans doute parce qu'ici, je suis tout le temps mort de froid. Mais même avant, au Chili, on m'avait surnommé « le Lézard ». Le soleil et moi, copain copain. Ici, au lycée, on ne distribue pas du lait aux récréations parce que les enfants sont bien nourris chez eux. Au Chili, avant, il y avait des tas d'enfants qui mouraient de faim et quand Allende a été élu président il a décidé qu'on donnerait à tous les enfants du Chili un demi-litre de lait par jour, et ça, c'était une idée sensass parce que les enfants, du coup, se sont arrêtés de mourir. Ici, les types de ma classe ne savent pas ce que c'est un pays pauvre, ce qui s'appelle pauvre. Ils n'ont jamais vu de maisons faites avec du carton et des boîtes de conserve. Ils ne veulent pas me croire quand je leur dis qu'elles s'écroulaient quand il y avait trop de vent ou de pluie. Et en plus, au Chili, il y a des tremblements de terre. Ici, on ne sait pas ce que c'est les tremblements de terre. Un jour, je suis allé avec deux copains, Pierre et Éric, au Kinopanorama voir *Tremblement de terre* et quand le théâtre s'est mis à trembler ils se sont mis à rigoler mais moi pas, et même j'étais triste parce que je pensais au Chili. Quand j'ai raconté à mon père que ça m'avait fichu le cafard il m'a envoyé une tape et il m'a demandé si j'étais pas idiot de regretter les tremblements de terre ; le seul avantage d'être loin du Chili, justement, c'était d'être à l'abri des tremblements de terre et je venais lui sortir de pareilles idioties.

Mon père et ma mère trouvent que je suis idiot en ce moment parce que je suis amoureux. Ils ont peut-être raison au fond parce que je passe des heures appuyé contre les murs à prendre le soleil et à penser à Édith. Je pense à des trucs que j'aimerais lui dire quand je la reverrai et à bien les tourner en français. Je regarde dans le dico comment ça s'écrit et comment ça se prononce. Il faut que j'apprenne à dire en français des trucs chouettes à Édith parce qu'elle est très jolie et très gentille, et si je reste muet devant elle, je risque de me la faire piquer par un autre. Ici, les plus grands, ils s'amusent à piquer les filles de ceux de troisième. Ils les emmènent à des fêtes, ils leur racontent des trucs de grandes person-nes et ces idiotes se prennent pour des stars. Moi, je regarde bien comment ils font, les grands du lycée, quand ils sont avec celles des petites classes. Par exemple, j'ai remarqué que quand ils leur parlent ils restent raides comme des piquets. Tandis que nous, quand on est avec elles, on dirait qu'on a de l'urticaire tellement on remue et on se gratte. Ceux que j'ai beaucoup regardés aussi ces derniers temps, c'est les acteurs de ciné, parce que c'est pas pour rien qu'ils sont acteurs, justement. Moi, je ne me trouve ni moche ni beau. Édith me trouve comme ci comme ça et je suis d'accord. Je suis entre les deux mais ça ne veut rien dire. Il y a un acteur qui me plaît beaucoup au cinéma et c'est Robert Mitchum et vous viendrez pas me dire qu'il est beau ! Comme disent les philosophes, l'amour c'est pas seulement une question de physique. Au Chili, on connaissait un mec qui s'appelait Larduche et qui était vraiment gros. Gros de gros, ce qui s'appelle gros. Eh bien, il avait une fiancée qui s'appelait Maria et qui était la femme la plus belle que j'aie jamais vue de ma vie, depuis quatorze ans que je suis né. Plus belle même que les vedettes de cinéma, de théâtre et de télévision. J'ai demandé l'autre jour des nouvelles du Gros à papa et il a continué de lire son journal avec le dictionnaire puis enfin il m'a dit qu'il était dans la Résistance. Ça, c'était une bonne nouvelle parce que je suis un grand admirateur de Larduche. Il s'appelle d'ailleurs Juan Carlos Osorio. Et je dis que c'était une bonne nouvelle parce que généralement quand je parle de quelqu'un à papa il me répond qu'il a été tué, emprisonné ou qu'il a dû partir au Canada ou en Afrique ou je ne sais où. Après, j'ai demandé à papa comment un type comme Osorio pouvait être dans la clandestinité parce que rien que de le voir on savait tout de suite que c'était lui. Pour dissimuler un gros vraiment gros, ça doit être coton. Alors le vieux m'a répondu que j'arrête de dire des conneries. Comme vous avez pu le constater, j'ai un père qui collabore avec enthousiasme et affection à l'éducation de ses enfants.

L'ennui avec papa c'est qu'il passe toute la journée à donner des leçons en espagnol et évidemment il n'apprend pas beaucoup le français, alors chaque fois qu'on donne des nouvelles de l'Amérique latine à la télé il brame pour que j'aille les lui traduire. Du Chili, il n'arrive que des mauvaises nouvelles, des nouvelles terribles et le pauvre père il avale tous les journaux télévisés de la journée. La bobine de Gicquel, il doit la connaître par cœur. Moi, je voudrais lui dire que le jour où Pinochet sera viré, ça sera une fête nationale dans tous les pays du monde, il y aura des guirlandes dans toutes les rues et on lâchera des pigeons voyageurs. Je crois que personne ne pleurera quand Pinochet tombera, à part sa famille peut-être. Et quand on le mettra en prison, j'ai l'impression que personne n'ira le voir. Parce que c'est lui qui a trahi le président Allende et la patrie et que la trahison c'est la chose la plus minable et la plus horrible qui puisse exister. Il ne trouvera personne pour aller le voir en prison, pas même des bonnes sœurs.

Moi, au début, à Paris, je me sentais comme un vieux croûton derrière une malle. Pour tout arranger, on nous avait mis aussi sec, mon frère et moi, à l'école du quartier. Quand on nous disait « bonjour », comme les gens sourient pas beaucoup ici, je croyais qu'on nous disait « tire-toi de là ». Les types de l'école étaient gentils au fond et ils venaient nous poser des questions, mais nous, la seule chose qu'on pouvait faire c'était de sourire comme des débiles. J'ai commencé à apprendre le français en jouant au foot à la récré. On me mettait arrière-centre et je me donnais tellement à fond que j'ai vite appris quelques mots sympas : « salaud », « ducon », « la vache ». Et moi j'ouvrais grand les bras et je regardais l'avant-centre étalé de tout son long par terre et je disais : « T'es pas mort, t'es pas mort. » C'était tout ce que je savais dire et je le répétais tout le temps. A la fin on m'avait donné ce surnom : « Tépamor », et même encore maintenant il y a des gars qui me crient : « Salut Tépamor ! » quand ils me croisent dans la rue.

Si vous croyez que je m'amusais à l'époque, eh bien vous vous trompez. J'ai jamais passé rien de pire. Quand je rentrais à la maison, je pouvais être sûr que maman pleurait. Tous les soirs. Et pas parce qu'elle coupait des oignons. Ils recevaient des lettres du Chili, de quoi les transformer en fontaine. Mais je préférais encore quand maman pleurait parce que papa, lui, il ne pleurait pas mais il flanquait des coups de pied aux meubles et quand on se trouvait sur le passage on risquait de recevoir quelques baffes perdues. Et puis lui et maman étaient toujours en train de discuter. Maman répétait qu'elle voulait

16

rentrer au Chili, qu'il fallait aller aider les copains sur place. Mais tout de suite après, elle se rendait compte que c'était faire du sentiment parce que dans toutes les lettres qu'ils recevaient, toutes, on leur apprenait la mort ou la disparition d'un de leurs amis ou connaissances. Alors moi j'ai pris l'habitude le samedi matin d'aller chercher le courrier et s'il y a des lettres je les leur donne pas avant le lundi comme ça au moins ils passent le week-end tranquilles. Si un jour mon père l'apprend, ça va chauffer. Donc au début, c'était pas la joie.

Mes premiers amis, ça a été les Grecs. Ils étaient deux eux aussi et exactement du même âge que nous. C'est vrai qu'ils avaient des prénoms pas possibles. L'aîné s'appelait Homère et le plus petit Socrate. Homère et Socrate Koumidès. Ils parlaient bien le français parce qu'ils étaient là depuis plus de cinq ans. On a fait connaissance un jour que je prenais le soleil contre le mur du lycée. J'étais en train de tailler un crayon. Ils m'ont dit en espagnol : « Como estás, compañero ? » Comment ça va ? C'était tout ce qu'ils savaient dire en espagnol mais je peux vous assurer que jusqu'à leur retour en Grèce on a été très, très bons amis. Quand Homère s'est approché de moi ce jour-là, il m'a dit aussi en levant un doigt de sa main gauche : « Pinochet », puis un doigt de la droite : « Papadopoulos ». Ensuite il a fait le geste de se trancher le cou et il a

dit en français : « A bas les salauds ! » J'ai répondu
en espagnol : « *Venceremos.* » Nous vaincrons.
Homère et Socrate Koumidès ont été les premiers
meilleurs amis de ma vie. Ils m'ont invité chez eux,
ils m'ont appris à boire du vin et à danser comme
Zorba, et, ce qui me manquait le plus, ils m'ont
appris le français.

Un jour, on était chez M. Koumidès et il nous
dit : « Habillez-vous, on va au théâtre. » Et c'était
vrai. A part que c'était pas le théâtre mais une salle
qui ressemblait à un théâtre à la Cité universitaire. Il
y avait beaucoup de gens qui faisaient la quête avec
des troncs et Homère m'a dit que tout cet argent
c'était pour aider les gens en Grèce. A nous deux on
a pu réunir trois francs et on les a mis dans le tronc.
Après, il y a eu un chanteur accompagné d'un
ensemble avec des instruments que je ne connaissais
pas, sauf le plus petit qui ressemblait assez à un
banjo. Nous aussi on a des ensembles drôlement
bien. Je ne sais pas si vous connaissez les Quilapayun ou les Inti-Illimani. Mais là où nous c'est pas
comme les Grecs, c'est que lorsque le chanteur a
commencé, toute la salle s'est levée comme un seul
homme, poing en l'air, et ils ont tous chanté en
chœur toutes les chansons jusqu'à la fin de la
représentation. Et en plus, ils ont tout le temps
pleuré. Même Homère chialait. Quand on est sortis,
le père Koumidès, qui mesure dans les deux mètres,

m'a soulevé en l'air, m'a serré bien fort contre lui et m'a dit : « *Venceremos*. » Je crois que si j'étais pas devenu aussi copain avec Édith, je serais parti en Grèce avec Homère et Socrate. Un autre jour, de bon matin, au moment où j'allais partir au lycée, je trouve mon père dans la cuisine en train d'écouter les informs plein pot. Il commençait déjà à comprendre un peu le français. Il met un doigt sur sa bouche pour que je me taise et je me beurre une tartine pour pouvoir écouter tranquillement avec lui. A la fin du bulletin, mon papa pouvait à peine respirer.

« Qu'est-ce que tu as compris ?, il me demande.

— Que Papadopoulos il s'est trissé, je lui réponds.

— Et tu t'es bien lavé les oreilles ce matin ?

— Oui papa.

— Et qu'est-ce que tu as entendu à la radio ?

— Ce que je t'ai dit, papa, que les fascistes grecs ils se sont fait la malle. »

Mon papa alors s'est mis à secouer lentement la tête et à boire son café à petits coups mais jusqu'à la dernière goutte. Moi, je ne bougeais pas et le vieux, lui, il était complètement parti. Je me suis même dit : « Et s'il allait mourir ? » Au bout de cinq bonnes minutes il relève la tête et il me dit : « Qu'est-ce que tu fais planté là ? Qu'est-ce que t'attends pour fêter ça avec ton papa ? » Alors là, pour le coup, celui qui a failli mourir c'est moi. Je m'approche, papa serre ma tête contre sa poitrine, m'emmêle les cheveux et me garde un bon moment pressé fort contre son cœur. Après quoi il me dit : « Allez! Va-t'en vite! A traîner comme ça dans la cuisine tu finiras par être en retard au lycée. »

Je suis parti en courant sur la pointe de mes Adidas, les mêmes que celles de Platini. Je suis arrivé juste à temps mais Homère n'était pas dans la classe. J'ai rejoint Édith et je lui ai dit que Papadopoulos avait été renversé ; elle m'a regardé avec un sourire en coin et elle m'a dit : « Je le savais déjà, gros malin. » Ça m'a un peu coupé l'herbe sous le pied mais ça m'a pas empêché de regarder le soleil à travers ses cheveux frisés à la hippie. J'aime ça, moi. Édith, je l'appelle pour moi « Boucles d'or ».

J'ai pas davantage vu Socrate à la récré, et pendant le cours de maths j'étais pas du tout à ce que je faisais. Un peu avant onze heures, je suis allé trouver la prof et je lui ai dit que j'avais mal à l'estomac et que j'aimerais rentrer chez moi. A onze heures et quart, j'étais dans l'appartement des Koumidès rue de Joinville et la première chose que j'ai vue, à part que la porte était grande ouverte, c'est que le living était vide et qu'il y avait deux types que je ne connaissais pas qui dormaient par terre. J'ai enfilé le couloir jusqu'à la chambre et j'ai frappé un petit coup. « Entrez. » C'était la voix de M. Koumidès. Il a une grosse voix bien pareille à ses moustaches. Mon papa aussi il a des moustaches terribles mais pas du tout cette grosse voix. J'ai remarqué que les Français ils emploient très peu la moustache. Bon, alors, j'ai vu le père Koumidès totalement à poil dans son lit et à sa droite il y avait Homère qui dormait, complètement à poil lui aussi, et à sa gauche, Socrate, tout nu lui aussi pour changer un peu. Et au fond de la chambre, en train de se faire les yeux devant la glace, il y avait Mme Koumidès avec un peignoir de bain, mais dessous, on voyait qu'elle était nue elle aussi. Mme Koumidès a le nez un peu grand, mais quand tu lui parles elle te regarde droit dans les yeux comme si t'étais le gars le plus intelligent de Paris. C'est pas parce que c'est la mère de Socrate et d'Homère, mais je suis un fana de Mme Koumidès. Soudain, je me suis aperçu que les murs étaient nus et que par terre il y avait plein de valises bourrées à craquer. J'ai additionné tout ça et j'ai tiré mes conclusions. Les parents ont vite saisi que j'avais compris. Alors ils se sont mis à me regarder tous les deux comme s'ils étaient des fiancés assis au bord de la mer et moi le poétique horizon en personne. Quand M. Koumidès s'attendrit, il lui vient du dedans un regard comme de grand chien. « T'es au courant ? », m'a-t-il dit tout doucement de sa voix grave comme pour pas réveiller ses fils. J'ai fait oui de la tête, j'ai serré les dents et plus fort encore mon poing gauche et quand je l'ai levé, je l'ai fait vibrer comme pour marteler le ciel. Lui aussi il a levé le poing mais il ne l'a pas fait vibrer et son cou s'est gonflé et il s'est formé comme une espèce de moue sous sa moustache. Je crois que si quelqu'un était entré et nous avait vus tous les deux dans la chambre le poing levé avec les enfants qui dormaient et Mme Koumidès en robe de chambre, il nous aurait embarqués pour l'asile.

Ce soir-là, les Koumidès ont invité les parents à dîner. On est allés chez eux, parce que nous, il nous manque beaucoup de choses à la maison et les Koumidès ont dit à mes parents qu'ils n'avaient qu'à emporter ce qu'ils voulaient de chez eux, même s'il n'y avait pas grand-chose. Et c'était pas des blagues. Il y avait de beaux tapis au mur qu'avait tissés Mme Koumidès et Homère m'a offert sa grosse veste doublée mouton. Parce qu'il paraît qu'en Grèce on n'a pas besoin de vêtements d'hiver. Du moins à Athènes. Il me l'a donnée le lendemain, à l'aéroport, juste quand on faisait l'appel pour embarquer. C'est moi qui ai dit adieu aux profs de sa part et je leur ai fait un chouette discours. La veste m'a duré jusqu'à maintenant, mais ces jours-ci, maman m'en cherche une autre parce que j'ai fait une sacrée poussée. Et Homère aussi. Il doit même être plus grand que moi, vu la photo qu'il m'a envoyée d'Athènes. Je suis invité là-bas à tour de bras pour l'été prochain et je crois bien que je vais y aller. Parce qu'entre nous je vais vous dire une chose : je travaille. Après les cours, je vais deux heures au Prisu du quartier et j'empile des cartons et je balaie toutes les cochonneries que les gens jettent par terre. Mais je ne suis quand même pas Rockefeller parce que je passe un peu d'argent à mes vieux, encore un peu à mon petit frère qui dévore trois BD par jour et avec ça j'invite Édith au ciné, alors... Malgré tout, j'ai quand même économisé neuf cents francs et d'ici le mois de juin j'aurai assez pour le billet aller-retour Athènes. On dit que le Retzina au tonneau est bien meilleur que celui qu'on trouve ici.

Vous me voyez comme ça à présent et signes particuliers néant. C'est que je vous raconte tout en désordre et n'importe comment. Mais il y a eu une époque où j'étais l'enfant le plus triste de Paris. Ça me fait honte de vous raconter ce qui va suivre. Et j'aime pas dire de moi que j'étais un enfant parce que, quand on est arrivé en France, papa nous a dit que l'enfance, pour nous, à partir de maintenant, c'était fini. Que ça allait être *très* dur et qu'il faudrait tout supporter comme des hommes. Qu'il n'était plus question de réclamer des choses parce qu'on avait à peine de quoi manger. Que les Français avaient un sens de la solidarité formidable mais qu'il fallait quand même qu'on se débrouille tout seuls parce que l'argent que récoltaient les copains français c'était pour envoyer aux camarades qui étaient restés au Chili. Et si on nous donnait tout l'argent à nous ici, le fascisme et les tortures ne finiraient jamais là-bas. Il nous a encore dit qu'il comptait vraiment sur nous pour qu'on soit des hommes et surtout qu'on n'aille pas se fourrer dans de sales histoires. Qu'ici on était des réfugiés politiques et qu'à la moindre incartade on nous ficherait dehors. Mon papa il est spécialiste de ce genre de discours. Ce qui fait que pendant une semaine on a circulé sur la pointe des pieds, on montait les cinq étages de la rue de l'Ourcq comme des fantômes pour que les vieilles aient pas de prétexte à se plaindre. Et pendant six mois, on n'a pas vu l'ombre d'un bifteck, juste un ou deux saucissons égarés. En plus, c'était l'hiver. J'arpentais les bords du canal de l'Ourcq à la recherche d'un peu de soleil. Le soleil à Paris c'est la seule chose gratis mais il n'y en a pas des masses. Quand j'ai eu appris trois mots de français, je prenais le métro à Crimée et je filais à Opéra et après je remontais les grands boulevards. Tout ça sans un sou, les poches repassées comme une chemise de militaire. Si on m'avait attrapé et secoué il n'y aurait pas eu le moindre tintement. Quand j'y repense, je me dis que c'était pas l'enfant le plus triste de Paris que j'étais, mais d'Europe, parce qu'être triste à Paris dans le quartier où j'habitais, je le souhaite à personne. Et être triste et sans le sou, alors là sortez vos mouchoirs. Quand il faisait trop froid, je me fourrais dans un des grands magasins et là ça pouvait aller, surtout qu'il y avait souvent dans les rayons d'alimentation une hôtesse qui offrait des échantillons pour la pub : un petit cube de fromage, deux biscuits salés, un biscuit sucré, un bout de choc, etc. Entre le Printemps et les Galeries Lafayette ça me faisait des petits quatre heures corrects. Moi, côté faim, je me défendais. D'autant que j'avais découvert un truc beaucoup plus sérieux que je vous dirai après. Maintenant, papa et maman travaillent et ils ont même de quoi se payer des côtelettes. Mais dans les premiers temps j'étais le seul à ne pas être pâle comme un navet. Un jour qu'ils étaient tous les deux en train de se plaindre de la faim, du froid, du cafard, des fascistes, je leur ai dit : « Pourquoi on va pas tous ensemble au buffet campagnard gratis tous les soirs jusqu'à vingt-deux heures des Galeries Barbès ? » Papa m'a envoyé une bourrade et m'a dit de ne pas dire des conneries comme toujours, mais une fois qu'on était allés en fin d'après-midi à l'hôpital Lariboisière pour le certificat médical de notre carte de séjour, papa en sortant a dit qu'il ne tenait plus debout parce qu'on lui avait fait une prise de sang pour l'examen et : « Qu'est-ce que c'était déjà ton truc des Galeries Barbès ? Puisque c'est près d'ici, on a qu'à y aller. » Et on y est allés.

Cette fois-là avec mon père, ça a été royal. On a mangé pendant presque une heure et surtout papa a bu. Beaujolais et côtes-du-rhône. Après quoi il est parti en sifflant des tangos. Il m'a dit que j'étais un type vraiment astucieux mais attention à ne pas me mettre dans de vilaines histoires. Surtout deux choses : pas piquer et pas fumer, d'autant qu'ici il y a pas mal de gens qui pratiquent ce petit sport. Il m'a encore dit qu'une seule de ces deux conneries suffirait à nous faire mettre dehors. Il était très content pourtant, papa, ce jour-là, mais, même content, il ne peut pas se retenir de faire un discours. Il finira sénateur, mon vieux.

Ce qu'il ne m'a jamais dit, le vieux, c'est qu'il pouvait arriver des choses encore pires. Et cette chose pire elle m'est arrivée. J'ai été le type le plus compromis de tout Paris.

Voilà comment ça s'est passé. Il y avait près du boulevard Poissonnière une maison de la presse drôlement bien que je fréquentais beaucoup. C'était une boutique très chouette avec des journaux étrangers, des illustrés, des revues de sport. J'y passais des heures à regarder les BD, surtout le fameux hiver dont je vous parle. Il faisait chaud là-dedans et même si je ne pouvais pas lire les revues, je m'amusais bien à regarder les photos. Au fond du magasin, il y avait les trucs pornos comme on dit. J'y allais parfois mais les vendeurs me faisaient circuler.

Et moi finalement, j'avais plutôt envie de me jeter à l'eau que de continuer à regarder des photos de femmes. J'avais déjà quelques poils au menton et je rêvais d'avoir plus tard une belle moustache comme mon père ou M. Koumidès. Je pensais beaucoup aux femmes, j'imaginais surtout que je leur racontais des choses et que je les faisais rire. J'imaginais des dialogues en français que j'apprenais dans le roman-photo *Rêve d'amour*. Mais les revues, j'ai laissé tomber quand je suis devenu un fana des radios portatives : un tout petit transistor japonais que mon père avait rapporté à la maison pour écouter les informs. Il avait même ce truc qu'on se met dans l'oreille et j'ai su bientôt toutes les paroles de tous les hit-parades de la semaine. C'est comme ça que j'ai appris mes premières phrases en français. Je me baladais boulevard des Italiens avec mon truc dans l'oreille et quand j'arrivais à attraper un mot au vol, j'ouvrais mon mini-dico de poche et je le répétais jusqu'à ce que je le retienne. Au bout du mois, je connaissais les œuvres complètes de la connerie humaine. Mais c'est maintenant seulement que je me rends compte qu'on n'a pas besoin de savoir chanter des trucs débiles pour lever une fille. Je crois que j'avais pris cette idée dans les revues où les chanteurs les plus à la mode sont toujours sur les photos avec les filles les plus jolies. C'est bien après que j'ai su qu'on n'avait même pas besoin de parler.

27

Quoi qu'il en soit, j'étais le gars qui savait le plus de chansons de tout Paris. Je me racontais qu'il y avait un concours à la télé, qu'on me jouait les premières mesures de n'importe quel tube et que je savais immédiatement ce que c'était, que ça me faisait gagner un fric fou et qu'au lycée tout le monde m'admirait. Si vous m'aviez vu me balader avec ma sacoche à l'épaule, l'écouteur dans l'oreille, le dico et le cahier à la main, vous m'auriez donné la médaille d'or du roi des cons.

Quoique, finalement, toute chose a son bon côté. J'avais toujours une telle envie d'entendre les Rol- ling Stones que j'ai commencé à fréquenter un magasin de disques dans ces parages. Je montrais du doigt la pochette et je demandais qu'on me mette le disque sur le pick-up. Bon, tout ça c'est sans intérêt. Je vous le raconte uniquement parce que c'est comme ça que j'ai connu Sophie. Maintenant que j'ai une histoire sérieuse avec Édith, je me rends compte que je n'ai jamais été vraiment amoureux de Sophie. Elle devait avoir cinq ans de plus que moi et c'était pas exactement Miss France, mais c'était la première femme avec laquelle il se passait quelque chose. J'ai su dès le premier instant que ça allait marcher entre elle et moi. Sophie faisait un des métiers les plus excitants de Paris : s'occuper de tous les débiles comme moi qui n'avaient rien à faire et qui passaient leur temps à ingurgiter des kilomètres

de Mlle Mathieu, de Mlle Sheila et du super-intello
Claude François. Elle était plus âgée que moi mais
on était de la même taille. Elle avait un tout petit
visage de lapin avec des yeux immenses et des faux
cils qui voletaient toutes les trois secondes malgré
une bonne livre de rimmel. Les cils de Sophie
étaient tout ce qu'il y avait de plus faux, mais pas son
regard. C'était la vendeuse la plus convaincante que
j'aie jamais connue, y compris les types qui vendent
des cravates du côté de Pigalle.

Admettons par exemple que vous lui demandiez *Il
fait beau, il fait chaud* du philosophe Claude François. Elle souriait et il y avait comme un petit lac
bleu qui s'éclairait au fond de ses yeux. Puis elle
prononçait cette phrase historique : « C'est mon
disque préféré. » La même pour tous les disques.
Moi je m'en fichais parce que je lui en ai jamais
acheté un. Et heureusement, parce que c'est ça je
crois qui a commencé à lui plaire, que je puisse
m'asseoir relax et gratis tous les jours de la semaine
devant les écouteurs. Après, elle posait l'aiguille sur
le disque et joignait les mains jusqu'à ce que la
musique commence. Et quand arrivait ce moment
crucial dans l'histoire de sa vie, elle se mettait à
chanter tout bas en même temps que le disque en
vous regardant comme si elle chantait pour vous tout
seul. Moi, je croyais que j'étais éperdument amoureux de Sophie, et quand elle allait servir d'autres

types je regardais fixement sa poitrine et j'avais
envie de la mordre. Elle savait les paroles de toutes
les chansons du monde. C'est Dieu lui-même qui lui
avait trouvé ce métier, à Sophie Durand. Elle était
un parfait magnétophone.

Je ne suis plus jamais retourné à la maison de la
presse pour des raisons que tout le monde saisira. Je
me creusais plutôt la cervelle à présent pour savoir
comment faire comprendre mes préférences à
Sophie, musique mise à part. Finalement, pendant
un cours d'histoire, j'ai eu une illumination. Le
lendemain, je me suis pointé à son magasin et je me
suis assis tout au bout du long comptoir, le dos
courbé sous le poids du cartable. J'ai appuyé mon
menton sur la table et j'ai attendu qu'elle vienne
s'occuper de moi. Elle est venue avec son regard
profond et ses petits seins, avec ses cheveux très
courts qui enserraient bien son petit visage.
« Qu'est-ce que tu veux écouter ? », m'a-t-elle
demandé. Et c'est là que j'ai fait un suprême effort
et que je l'ai regardée bien au fond de ces deux lacs
où bondissaient des poissons, des mouettes et tout
un jeu de cuisses aussi, et je ne lui ai absolument
rien dit mais je ne la lâchais pas du regard. Elle a
penché un peu la tête de côté et elle a levé les
sourcils. « Qu'est-ce que tu veux écouter ? » C'est
maintenant ou jamais, allonz'enfant de la patrie, ai-
je dit à mon cœur. Et à elle : « Je ne veux pas de

disque. Je veux que tu me chantes quelque chose, toi. » Et je ne sais pas d'où est sortie ma main mais elle s'est abattue sur la sienne. J'ai cru que la terre allait s'ouvrir et m'avaler et que mon *popa* et ma *moman* viendraient planter une croix sur le comptoir à disques. Je serrais sa main de plus en plus fort pour qu'elle ne sente pas que je tremblais. Jusqu'au moment où j'ai vu plein de choses rouges devant moi : des roses, des tomates, du sang. Et c'était rien tout ça à côté du visage de Sophie. A cet instant j'ai senti que j'avais franchi l'obstacle comme un bon cheval. Sophie serait ma fiancée. Elle flambait là comme Jeanne d'Arc en personne et plus elle rougissait plus je me sentais tranquille. Je me sentais même comme un vrai acteur de ciné. Alors je l'ai tirée doucement par sa main et je lui ai donné un tout petit baiser sur la bouche. Vous vous rappelez l'incendie qui a duré six jours en Corse l'été dernier ? Eh bien c'était rien à côté de Sophie à présent. Elle a posé ses mains sur mes joues et m'a repoussé mais pas comme on repousse, plutôt comme on caresse. « Idiot », m'a-t-elle dit, et elle s'est mise à essuyer la table. Je me demande encore pourquoi, c'était impeccable.

Bon, ça n'empêche qu'à partir de ce moment-là, tout est allé très mal pour moi à Paris. J'ai jamais volé le moindre chewing-gum, jamais essayé le moindre joint et pourtant j'ai été embarqué dans la

31

plus sale affaire de toute l'histoire de France. C'est à cette époque-là, à peu près, que j'ai fait la connaissance des Koumidès et, un jour de confidences, j'ai parlé de Sophie à Homère et je lui ai raconté ce que je viens de vous raconter, mot pour mot. Je savais qu'Homère n'était déjà plus un bleu et je lui ai exposé mon problème : je voulais réussir mon coup mais je ne savais pas par quel bout peler la figue. Je crois que les Grecs sont de grands philosophes parce qu'Homère a réfléchi pendant tout un jour à la tactique à suivre pendant qu'on fumait, étendus sur le lit de M. Koumidès. De temps en temps, il pensait à haute voix et il m'a appris une façon de parler grecque qu'il appelait « la logique ». Il m'a donné cet exemple : « Tous les hommes sont mortels. Socrate est un homme. Donc Socrate est mortel. » Il parlait toujours comme ça, en trois phrases. Entre deux mégots, il disait par exemple : « Toutes les femmes ont besoin d'amour. Sophie est une femme. Donc Sophie a besoin d'amour. » Et aussi : « Tous les hommes ont besoin d'amour. Tu es un homme. Donc tu as besoin d'amour. » Et ainsi de suite et toujours de plus en plus vite et chaque fois il me demandait : « D'accord ? » Et moi, bien sûr, je ne trouvais rien à redire. Si Homère se donne la peine d'étudier à fond il peut devenir un grand philosophe. C'était un philosophe optimiste. Il disait : « Tous les êtres humains ont besoin d'amour. Sophie et toi vous êtes des êtres humains. Donc Sophie et toi vous avez besoin de vous aimer. » Toujours indiscutable, Homère. Il me persuadait toujours, je lui ai jamais discuté une virgule.

Un soir, Sophie m'a accompagné à la MJC du quartier parce que, pour commémorer le coup d'État militaire au Chili, on allait faire un défilé à la République et il fallait peindre des banderoles. Moi, on m'a mis dans une équipe de peintres parce que les pères avaient à organiser d'autres choses et que les mères faisaient des objets typiques chiliens et les vendaient où elles pouvaient. Le jour du défilé, on allait pouvoir réunir dans les cinq mille francs. Même en étant pas des Picasso, Sophie et moi, on a quand même peint des panneaux jusqu'à deux heures du matin. Comme chez nous à Santiago quand on allait aux manifestations d'Allende et que même les bébés défilaient. Quand on a voulu rentrer, le métro était fermé, avec des chaînes même. Alors on s'est mis en route en fumant et en mâchant des chewing-gums. Moi, je tenais Sophie par la taille et comme sans le faire exprès je faisais courir ces doigts que le bon Dieu m'a donnés. Sophie et moi on est de la même taille et on s'emboîtait parfaitement pour marcher enlacés dans la nuit. Moi, je me trouve plutôt grand pour mon âge même si ma mère n'arrête pas de me répéter que je ne vais pas grandir à fumer sans arrêt comme ça.

On n'était déjà plus qu'à quelques mètres de la maison de Sophie quand alors là j'ai gagné le gros lot du Loto, le truc dont je vous ai parlé plus haut. A la porte d'un bar, il y avait une bande d'idiots de mon âge qui n'arrêtaient pas de se bousculer et de boire des boîtes de bière. C'était à qui ferait le plus le malin. Dans ces cas-là, plus on est bourré moins on a l'air con. Et puis il y en a pas mal par ici qui aiment bien planer, alors ils fument un peu de chanvre et en avant la musique. Je voyais bien que c'étaient des types de mon âge, et avant même que la chose arrive je me doutais que quelque chose allait arriver. Pas besoin d'être Sherlock Holmes. Et bien sûr, dès qu'ils nous ont vus, serrés l'un contre l'autre, ils ont commencé à faire : « La la la la, la la la la. » La marche nuptiale. Moi aussi j'en ai fait des blagues quand j'étais en bande et je sais que le mieux pour les autres dans ces cas-là c'est de passer sans faire semblant de rien. En plus, les tendres conseils du papa vous marquent toujours un peu, ce qui fait que j'ai serré Sophie encore plus fort et que nous avons essayé de passer comme si c'était juste un chat qu'on entendait miauler. Évidemment, ça n'a pas marché parce qu'ils se sont approchés tous les quatre et qu'ils m'ont mis une boîte de bière à la bouche. Tantôt ils me poussaient et tantôt ils avançaient un peu les mains vers Sophie. En plus, il y en avait un qui la connaissait et qui a dit : « Ho, Sophie. » Ils voulaient que je boive leur bière avec eux et ils criaient : « A la santé des mariés ! » Ils voulaient aussi que Sophie boive. J'ai fini par leur dire : « Non merci, laissez-nous passer, on est pressés. » Et c'est bien la pire idée que j'ai eue dans ma vie. D'abord parce qu'ils ont remarqué mon accent. Ensuite parce que si j'étais pressé à cette heure-là et avec Sophie, c'était que je voulais me mettre au pieu avec elle. Un des gars — j'ai su qu'il s'appelait Jean — me zieute Sophie tous azimuts et me demande comment elle est au lit. Puis il s'approche d'elle et lui fourre la main sous le manteau.

Je ne sais pas si je vous ai dit que je suis pas mal nerveux. Mon sang, on dirait qu'il est toujours en train de bouillir. Ce qui fait que le temps de voir ça et d'entendre ça, et crac ! j'avais lancé mon coup de pied d'arrière-centre. La seule différence c'est que c'est pas sur une grosse balle que j'avais cogné mais sur deux petites. Le gars est tombé à la renverse et moi j'étais comme fou. Sophie me tirait par le bras en répétant : « Viens, filons », et le fameux Jean, comme j'ai su après qu'il s'appelait, il était ratatiné par terre et il se tenait à deux mains entre les jambes. Ni il ne criait ni il ne parlait, on aurait dit qu'il ne pouvait même pas respirer. Les trois autres s'étaient immobilisés, comme lorsque la défense laisse l'avant-centre hors jeu et attend que l'arbitre annule le but. Ils étaient debout mais aussi immobiles que l'autre par terre.

Conclusion, Sophie ne m'a pas laissé repartir de toute la nuit parce qu'elle avait peur qu'ils m'attendent en bas. On n'a même pas allumé la lumière. On est allés à tâtons jusqu'à la fenêtre, on a un peu écarté les rideaux et on a regardé dans la rue. Ils étaient là tous les quatre. Celui qui avait reçu le coup ne bougeait toujours pas et les autres essayaient de le relever mais rien à faire. J'entendais Sophie respirer très fort à mes côtés et moi je dégoulinais de sueur. On s'est assis sur le vieux divan qui grinçait dans tous les sens et on osait à peine respirer parce que Sophie avait peur que sa mère se réveille. On est restés comme ça presque une heure à se regarder à la petite lueur du poêle à gaz. Après, je lui ai pris la main et on se croisait les doigts, on les serrait fort, on les relâchait, on les reprenait et comme ça pendant un bon moment. Après, elle s'est mise à pleurer longtemps, sans faire de bruit, et moi je ne savais vraiment pas quoi lui dire. C'est terrible ça, chaque fois que quelqu'un pleure, je ne sais jamais quoi lui dire. J'ai passé ma main sur ses cheveux et je lui ai demandé pourquoi elle pleurait. Elle m'a dit qu'elle avait peur. Elle parlait si bas que j'entendais à peine. Je suis allé à la fenêtre et cette fois il n'y avait plus personne. Il faisait du vent qui emmêlait les feuilles des arbres.

36

Quand je suis arrivé à la maison, la famille était réunie en conseil de guerre à la cuisine. J'ai été reçu avec tous les honneurs, comme on dit. Pour tout arranger, c'était un jour avec soleil, et comme on n'a jamais eu assez d'argent pour acheter des rideaux, toutes les choses brillaient et les vitres étaient comme en flammes. Mon frère s'était tout rétréci comme une souris sur sa chaise et plongeait le nez dans son bol. « Où t'étais ? », a bramé le vieux. Maman regardait par terre en se tenant les manches de sa robe de chambre. Moi, j'arriverai jamais à rien parce que je manque d'inspiration. Mon père aussi je crois. Sûr qu'il me voyait déjà avec la vérole. « Où t'étais, nom de Dieu ? » J'ai relevé les yeux et je l'ai regardé, sûrement avec ce regard de taré auquel il s'attendait.

« En train de peindre, j'ai dit.

— En train de peindre, hein, petit con ?

— Oui, papa.

— Et c'est quoi que tu peignais ?

— Des banderoles pour la manif.

— Jusqu'à sept heures du matin ?

— Oui, papa. »

Et j'ai quand même eu l'inspiration merveilleuse de regarder mes mains qui étaient une vraie aquarelle. Ça m'a sauvé. Je les ai levées comme le petit garçon du film quand le bandit le met en joue. Mais, soupçonneux comme est mon père, j'ai soudain eu peur qu'il pense que je les avais peintes exprès. « Ça va, a-t-il dit. La prochaine fois, préviens. » Et il m'a regardé d'un air profondément satisfait comme quand quelque chose lui plaît et qu'il gonfle son jabot comme un pigeon. C'est moi, pour le coup, qui ai dû baisser les yeux avec les bras parce que j'ai eu honte de ce mensonge. J'ai senti soudain que des flics pourraient très bien venir m'arrêter. J'ai vu, comme si j'avais été au cinéma, l'image du garçon étendu sur le trottoir, les mains entre les cuisses. Cependant, comme le vieux était resté sur son envie d'envoyer une baffe à quelqu'un, c'est mon frère qui en a hérité. Il lui a un peu frotté le crâne, là où ses cheveux font un petit tourbillon et il a crié : « Et toi, qu'est-ce que tu fais là ? Pourquoi n'es-tu pas encore parti ? » Mon frère a attrapé son sac sur la table et il est parti en courant tout en finissant sa tartine. Moi aussi j'ai attrapé mon cartable et je suis allé à l'évier me mouiller un peu les yeux et le front. « Mais tu ne déjeunes pas ? », a dit maman. Moi, très style héros de la patrie, j'ai pris un air offensé et je suis sorti sans les regarder en me peignant avec mes doigts. « J'ai pas faim », ai-je dit.

A la récré de dix heures, j'ai cherché dans toute la cour un coin au soleil pour faire une petite sieste, mais tout était contre moi car il s'est mis à tomber une pluie fine. Alors je suis rentré en classe et j'ai essayé de dormir un peu, les bras croisés sur ma table. Je commençais à prendre le large quand toc, la cloche a sonné pour le cours de français. Je me suis dit je vais pas tenir le coup et la France entière va savoir que j'ai passé la nuit debout comme un cheval, on va me planter un thermomètre et on va me renvoyer à la maison avec un mot pour papa qu'il me faudra lui traduire par-dessus le marché. Eh bien, pas du tout, et même que ça a été un des meilleurs cours de français de ma vie parce que M. Berger nous a fait discuter sur une œuvre de Brecht que la classe était allée voir la semaine d'avant et qui s'appelle *l'Exception et la Règle*. Moi, je l'avais trouvée formidable parce qu'on y voit que les riches achètent les juges et que la justice est pas du tout impartiale. Ça m'intéresse parce que là-bas, au Chili, les juges condamnent les gens pauvres pour un oui, pour un non, tandis que les riches ils peuvent même tuer en toute tranquillité. Là-bas, au Chili, les juges sont de vrais pantins. En France, je sais pas.

A la fin du cours, le prof nous a demandé de faire un dessin qui illustre la signification de la pièce. Moi, j'ai fait la déesse de la justice avec un sac d'écus à la main et M. Berger m'a dit que c'était très bien. Je suis reparti du lycée très content parce que j'aime beaucoup qu'on trouve bien ce que j'ai fait. J'ai un amour-propre gros comme une maison. Mais ma joie a été de courte durée. J'étais pas arrivé à la disquerie que Sophie, dès qu'elle m'a vu, s'est mise à pleurer. Elle m'a dit que Jean était à l'hôpital. Des fois que vous n'auriez pas bonne mémoire, Jean c'est le gars que j'avais mis KO le soir d'avant. Et que son grand frère me cherchait. Il voulait avoir mon adresse pour me faire la peau. J'ai pas pipé, qu'est-ce que j'aurais pu dire ? Le dernier disque des Rolling Stones venait de sortir mais j'ai même pas eu envie de l'écouter. Sophie m'a dit qu'il valait mieux que je m'en aille. J'ai essayé de lui prendre la main mais elle l'a retirée. Pendant qu'elle servait un client j'ai fait semblant de feuilleter le catalogue des cassettes. Quand elle est revenue vers moi, elle m'a dit qu'il valait mieux ne pas se voir pendant un certain temps. Je lui ai demandé si elle voulait dire par là qu'elle ne voulait plus jamais me voir. Elle m'a répondu : « Comme tu veux. » J'avais même pas une cigarette pour m'aider à encaisser le coup. Je me disais que si j'avais pu me mettre à fumer, lentement, elle aurait repris ma main et m'aurait gardé comme fiancé. Mais comme ça, sans cigarette ni rien, je me suis senti hors jeu. « Bon, eh bien ! comme tu voudras toi aussi. » Et je suis sorti de la disquerie les oreilles en feu et les genoux tremblants. Je suis descendu dans le métro à Chaussée-d'Antin et je suis resté une heure sur le quai à voir arriver et repartir les trains de la ligne de la Villette. J'étais fichu, hors circuit. J'avais perdu mon pays, Sophie ne voulait plus me voir, un type me cherchait pour me casser la gueule et j'avais envoyé un Français à l'hôpital. Il y a des gens qui se tirent une balle dans la peau pour moins que ça. Au lieu de me jeter sous le métro, je suis allé ramasser mes cartons à Prisunic et je l'ai fait avec une telle rage qu'en deux heures j'avais tout fini et je suis revenu à la maison.

Vous connaissez la phrase qui dit « *Home sweet home* » ? Eh bien, l'Anglais qui a trouvé ça on peut lui donner le prix Nobel des menteurs. J'avais pas ouvert la porte que maman m'a dit que quelqu'un m'avait téléphoné toute la journée. Qu'il ne parlait que le français et qu'il demandait le Chilien. Maman, côté intuition, elle est championne, elle m'a demandé dans quelle histoire je m'étais fourré. Je ne lui ai rien répondu et je suis allé m'asseoir à côté du téléphone. Je le regardais comme si un chien furieux allait en sortir. Au bout de cinq minutes, *ring ring*. J'aurais bien aimé ne pas avoir d'oreilles à ce moment-là. J'ai appuyé mon menton sur ma main et j'ai attendu qu'il se taise. Alors est arrivée la douce voix de maman : « Téléphoooone ! » J'ai décroché en laissant le récepteur loin de mon oreille et en retenant ma respiration. « Allô ! », a dit le type. J'ai pas pipé. Je devais avoir peur qu'il sorte du téléphone si j'avais répondu. « Allô ! c'est toi le Chilien ? » J'ai reposé tout doucement le récepteur sur son socle et puis j'ai passé ma main dessus comme si j'avais voulu effacer mes empreintes digitales. Je

41

suis revenu dans la cuisine avec une terrible envie de me mettre à pleurer dans la jupe de ma maman comme quand j'avais huit ans à Santiago. Et là-dessus *ring ring* de nouveau. J'ai pris conscience de la quantité de salive que j'avais accumulée dans ma bouche et j'ai serré fort mes jambes car pour un peu je me pissais dessus.

J'ai décroché rapidos et j'ai approché un peu plus l'appareil de mon oreille. J'avais peur maintenant que maman se ramène et entende la conversation. Et ça n'a pas raté, elle est apparue sur le pas de la porte, l'air très intéressé. « Allô! », a dit la voix. Une voix un peu criarde, ce qui m'a rendu encore plus nerveux. J'ai mis ma main sur le micro et j'ai dit à maman : « Un ami. »

« Allô! le Chilien?

— Oui, ai-je dit en me râclant la gorge, c'est moi. »

Ma vieille toujours en train d'essuyer son verre sur le pas de la porte ; il allait être étincelant !

« Je viens de t'appeler et t'as coupé. Tu te crois malin, hein?

— Non, ai-je dit.

— Tu sais qui je suis?

— Aucune idée, ai-je dit.

— Vraiment?

— Mais de quoi parlez-vous ? a demandé maman

42

qui maintenant frottait son verre comme une maniaque.

— En français, ai-je répondu.

— Oui, je vois bien que c'est du français, mais que dit-il ?

— Un moment », ai-je dit au type, puis, en bouchant le micro : « Je t'en prie, maman, laisse-moi parler tranquillement, veux-tu ? »

Ma vieille m'a lancé le regard foudroyant des mères attentionnées et elle est repartie.

« Allô ! ai-je dit.

— Allô, qu'est-ce qui se passe ?

— Rien.

— Ah bon. Je m'appelle Michel. »

Et moi, pour faire comme si de rien n'était :

« Michel comment ?

— T'excite pas. Ça n'a aucune importance. Je suis le frère de Jean.

— Et qui c'est ça, Jean ?

— Bon, je t'ai pas appelé pour que tu me poses des questions. Mon frère est à l'hôpital. »

J'ai plus su que dire.

« Tu savais qu'il était à l'hôpital ? »

J'ai regardé dans le couloir pour voir si maman revenait. Le cœur me cognait contre les côtes. J'avais l'impression de manquer d'air.

« Il est dans un état grave, a repris le type. Très grave », a-t-il répété.

43

J'ai voulu dire : « C'est vrai ? » mais j'ai eu juste assez d'air pour dire :

« Oui.

— Et moi je t'appelais pour te dire que je vais te faire la même chose que tu as faite à Jean.

— Oui », ai-je dit.

Soudain j'avais oublié tout mon français. C'était comme au début quand je n'y comprenais rien et que je répétais oui, oui, comme un idiot.

« Si je te trouve, je te mets la tête au carré.

— Oui.

— Et si Jean meurt à l'hôpital, je te tuerai avant que la police t'attrape. Vu ?

— Oui.

— T'as bien compris ?

— Oui.

— Dès que tu sortiras de chez toi, je t'attrape et je te mets en bouillie, t'as saisi, Chilien ?

— Oui.

— Si t'as quelque chose dans le ventre, je t'invite à te battre avec moi, ce soir. On se retrouve près du canal à cinq heures. »

J'ai regardé le réveil.

« Non, ai-je dit.

— T'as peur, hein ? »

Le récepteur était trempé de sueur. On aurait dit du chocolat et qu'il allait se mettre à fondre. Michel s'était tu et je l'entendais seulement respirer. Sou-

dain, j'ai eu l'idée de faire la conversation. De lui
demander des nouvelles de son sympathique petit
frère.

« Et dans quel hôpital il est ton frère ? ai-je
demandé.

— Dans celui où tu vas bientôt aller, taré !

— Non Michel, sérieusement.

— Tu veux lui apporter des fleurs et des chocolats ?

— Non, comme ça, pour savoir.

— Il est dans un état grave. Il ne peut pas parler.
Va falloir que tu passes par moi. »

Soudain, il m'a semblé que je m'éveillais d'un
rêve. J'avais l'impression qu'on m'ouvrait un robinet
d'eau glacée sur la tête. Comment Michel avait-il pu
avoir mon numéro de téléphone ? J'ai battu des
paupières plusieurs fois et grâce à la logique admira-
ble d'Homère j'en suis arrivé à la conclusion que la
seule personne qui avait pu le lui donner c'était ma
fidèle amoureuse, Sophie Durand. Et ce qui me
tournait dans la tête maintenant, en plus de la merde
de ces jours-ci, c'était comment Michel s'y était pris
avec Sophie pour obtenir mon numéro. A coups de
pied comme ça semblait être son genre ou avec
baisers, câlineries et pelotages ? Il m'est entré une
tristesse plus longue et aiguë qu'un couteau. La
première femme de ma vie, la première trahison.
C'est avec des expériences comme ça que je pourrais

écrire les paroles de vraies chansons. Et Iglesias, avec tout son sirop, qu'est-ce qu'il en penserait si je lui écrivais une poésie où la fille non seulement laisse tomber son copain quand il est en danger mais encore donne son numéro de téléphone à un tueur pour qu'il le repère et lui fasse la peau ? Maintenant, je voyais Michel comme un type à l'inverse de moi. Il avait dû entrer chez Sophie, l'allumer vite fait, lui soulever la jupe et, au milieu de leur petit numéro, elle avait donné le mien. Sûr que tout ce que je n'avais pas pu obtenir, moi, pendant des mois, le Michel en question avait dû l'avoir en quelques minutes. Sûr aussi qu'il était grand, beau gosse, bien sapé et avec des muscles d'acier. Vous croyez que j'ai eu l'idée de me dire que j'irais voir Sophie et que je lui dirais ma façon de penser ? Non, je restais là à côté du téléphone, tournant et retournant ma peine, plongé en elle jusqu'au cou.

« Alors, Chilien, tu viens, oui ou non ?

— Non.

— Bon, alors, si je t'attrape...

— ... tu m'assaisonnes, tu l'as déjà dit.

— Donc...

— Mais ça reste à faire. »

J'ai plaqué le récepteur sur le socle comme si j'avais voulu casser un œuf et j'ai attendu les coups de pied qui allaient arriver par le fil. Je ne sais pas d'où je revenais mais je haletais comme après un match de foot.

J'ai passé le reste de la journée à surveiller la rue de ma fenêtre. Parfois je me laissais aller à suivre le vol des pigeons par-dessus les toits mais j'étais sans force pour regarder la télé ou lire une BD. J'ai quand même mis la radio et j'ai fait des dessins de Sophie tout en écoutant les Rolling. Quand papa est arrivé, j'ai éteint parce qu'il s'est installé au téléphone pour appeler ses amis vu que le lendemain c'était la manif contre le coup d'État au Chili. Il était furieux parce que les Chiliens ne s'étaient pas mis d'accord et qu'il y aurait deux défilés contre la junte fasciste. Moi, ça m'a pas autrement ému parce que chaque fois qu'il y a réunion de Chiliens à la maison, ça discute sec toute la nuit et ça les empêche pas d'être bons amis ensuite. Je suis allé manger ma soupe, mais avant j'ai déchiré la photo de Sophie et je l'ai jetée à la poubelle.

J'ai pas pu dormir. Je regardais les lumières de la rue au plafond et j'aurais voulu faire des dessins avec leurs ombres mais rien ne venait. Pour la première fois de ma vie j'ai compris à quel point c'était important de dormir. Je ne souhaitais qu'une chose, qu'un nuage noir de sommeil arrive et m'emporte loin de la maison et loin de la ville. Quand j'ai fini par m'endormïr, le jour pointait déjà et une heure après le réveil a sonné et maman est arrivée en robe de chambre pour préparer le déjeuner. J'étais comme un disque rayé : la première chose que j'ai faite c'est d'aller tout nu à la fenêtre et de regarder aux deux bouts de la rue. J'ai eu l'idée de dire à maman que je me sentais malade, que je n'avais pas pu dormir de toute la nuit et que j'avais dû aller plusieurs fois au cabinet. Mais le vieux a crié que j'aille me laver plus vite que ça et après, en classe. J'ai eu droit à un beau discours patriotique sur les inconvénients d'être malade un jour de manif. Il m'a suivi jusque dans la salle de bains en me disant que je faisais des chichis pour des riens et que je devrais plutôt penser aux enfants chiliens dont les pères étaient morts ou en prison et qui n'avaient plus de quoi manger. J'ai essayé de fermer la porte et de me coiffer avec calme mais papa est venu s'installer à côté de moi et il m'a dit qu'il me faudrait aller au défilé et crier avec tout le monde et ne jamais oublier pourquoi nous étions ici. Ce qui me tue chez papa, c'est qu'il me répète sans arrêt des choses que je sais par cœur. Quand j'ai eu bien démêlé mes cheveux avec le peigne, j'y ai passé mes doigts pour les ébouriffer. Je trouve que les gens bien coiffés ils ont l'air pas marrant.

Mon petit frère emporte toujours des sandwiches pour la récré et maman les lui enveloppe dans une serviette. Mais il est tellement enragé pour manger qu'il a pas plutôt passé le coin de la rue qu'il sort ses sandwiches et s'active de la dent. Après, à la récré, il se débrouille toujours pour soutirer quelque chose aux copains. Il ne les quitte pas des yeux jusqu'à ce qu'ils lui passent la moitié de leur tartine.

« Marchons un peu plus vite, ai-je dit à Daniel en l'attrapant par le coude.

— Pourquoi ? On n'est pas en retard.

— Ne te retourne pas, mais il y a quelqu'un qui nous suit. »

Et en disant ça, je l'ai attrapé par la nuque parce qu'il fait toujours le contraire de ce qu'on lui dit. Après, il m'a fallu le retenir, toujours par le cou, parce qu'il se mettait à courir. Je l'ai freiné comme ça sur plus de cent mètres.

« Lâche-moi, a-t-il fini par dire, sinon je peux pas manger.

— Je vais te lâcher, mais si tu te retournes ou si tu cours je t'assomme à coups de cartable.

— Et pourquoi on nous suit ?

— Parce qu'il y a un type qui veut me casser la gueule.

— Pourquoi ?

— Tais-toi.

— Mais pourquoi ?

— Je peux pas te le dire.

— Tu lui as volé quelque chose ? »

49

Là, il a bien fallu que je lui envoie un bon coup de coude.

« Ta gueule », j'ai dit.

On filait bon train. Moi, la tête dans les épaules comme s'il faisait froid. Mais non, la journée était belle et si je n'avais pas eu des problèmes j'aurais siffloté et regardé les moineaux.

« Pourquoi t'avertis pas un flic ?

— Je peux pas.

— Mais pourquoi ?

— Donne-moi un bout de ton sandwich. »

Je lui en ai pris un morceau et je me suis mis à mâcher pour faire quelque chose. C'est pas que j'avais dans l'idée d'avaler. J'aurais même pas pu. Le col de ma chemise était en béton mais les jambes, par contre, plutôt molles.

« Tu veux que je regarde en arrière sans faire semblant de rien ? m'a proposé Dani.

— Oui, quand on va traverser. Tu fais comme si tu regardais s'il n'y a pas de voitures. Vu ?

— Oui.

— Et regarde combien ils sont.

— Oui.

— Bon, alors on traverse. »

Je le serrai fort par le coude et je le fis traverser devant les voitures arrêtées au feu rouge. Je ne voulais pas regarder comment il regardait.

« T'as vu ?

50

— Oui.

— Combien ils sont ?

— Rien qu'un.

— Comment il est ?

— Grand.

— Costaud ?

— Je sais pas. Grand.

— Grand comment, ducon ? Comme papa ?

— Non, pas tant.

— Comme moi ?

— Ah ! non, plus. Il doit bien avoir une copine.

— Dans les dix-sept ans, alors ?

— Oui, peut-être. »

Je crachai mon pain mâché dans ma main et, en citoyen correct et civilisé, je le jetai dans une corbeille.

« Et il veut te cogner ?

— S'il m'attrape il me cogne. Comment il est habillé ?

— Avec un blouson de cuir et une chapka.

— Regarde bien, mine de rien, et dis-moi s'il est loin. »

Dani se gratta la tête et regarda derrière lui comme s'il voyait passer une comète. Il est discret le petit frère.

« Alors ?

— Pareil.

— Là où il était ?

— Oui, pas plus. T'es sauvé, on est arrivés. »
Je me suis dit soudain que le pire ça serait qu'au lieu de me battre il aille tout raconter au proviseur. Je m'imaginais déjà en maison de correction en train de prendre le soleil derrière les barreaux.

On a traversé la cour du lycée et, sans dire bonjour à personne, je suis monté dans les salles du deuxième étage pour surveiller la cour d'un seul œil. Et c'est alors que je l'ai vu, parfaitement vu. Les mains dans les poches devant la grille d'entrée, il regardait passer les élèves. Il n'était pas tellement plus grand que moi et c'était peut-être à cause du blouson de cuir qu'il avait l'air plus costaud. Je regagnai ma classe et, de toute la matinée, je n'ai pas pu me concentrer. Avant la dernière heure, je suis allé trouver Pierre Martin et je lui ai dit que s'il me raccompagnait chez moi, je lui prêterai le dernier Astérix. J'ai choisi Pierre, pas parce qu'il est particulièrement sympa mais parce qu'en classe on l'appelle « la Tonne ». Il est grand comme un poteau et large comme une barrique.

On aurait dit que ma peur était branchée sur le téléphone. J'étais pas plutôt revenu à la maison que *ring ring*. Comme si le Michel me suivait au chronomètre. Dommage que je n'aie pas pu lui montrer Martin au téléphone.

« Ho, Chilien !
— Oui.

52

— Comment ça va ?

— Bien, merci. »

Une conversation des plus polies comme vous pouvez le constater. Il allait peut-être m'inviter à prendre le thé avec des petits fours.

« Et toi ? ai-je enchaîné.

— Bien également, et heureusement parce que je vais te démolir le portrait à coups de pied et t'enfoncer les doigts dans les yeux. Je te laisserai paralytique.

— Ça sera pas facile », ai-je répondu.

Je suis comme ça, toujours la langue plus rapide que la pensée.

« Tu me crois pas ? Je vais te réduire en bouillie !

— Ah oui ? Toi et combien d'autres ? »

Arrivé là, c'est tout juste si je pouvais tenir l'appareil tellement je tremblais mais le silence qui a suivi ma dernière phrase a dû se répandre jusqu'aux antipodes.

« Allô ? ai-je fini par dire.

— Écoute, Chilien, cet après-midi à cinq heures, je t'attends à la porte de chez toi pour t'emmener nous battre. On va se battre d'homme à homme.

— Aujourd'hui je peux pas, ai-je répondu.

— Alors demain. Demain à cinq heures.

— Si tu veux...

— Demain à cinq heures. Et seul, tu m'entends ?

— Toi aussi », ai-je répliqué et j'ai coupé.

53

Je ne sais pas si je vous ai déjà dit que je suis spécialiste pour accumuler les choses. De tout un an il ne m'arrive rien et puis d'un coup tout le même jour. Pour l'anniversaire de Septembre il y a eu un meeting monstre à la Mutualité et on a appris aux Français à crier nos slogans. Maintenant ils savent dire : « *El pueblo unido jamás será vencido* » et « *Compañero Allende, presente* ». Avant, ils ne savaient que répéter : « Solidarité internationale » et « *Venceremos* ».

Ça a été un jour très spécial dans la famille parce que c'est mon papa qui a fait le discours à la Mutualité. On lui avait tout de même donné une traductrice. Super sympa, la fille. Mon vieux est incapable de dire trois mots sur le Chili sans perdre les pédales, ce qui fait qu'au bout de deux minutes il gueulait et qu'au bout de cinq les larmes lui tombaient jusque dans les poches. Heureusement d'ailleurs pour la traductrice, sans ça elle aurait jamais pu en placer un et je ne sais pas comment elle faisait pour tout retenir. En plus, comme ça, le vieux pouvait reprendre son souffle et se moucher. Mon papa est champion pour les discours. Je trouve qu'il n'y en a pas deux comme lui pour communiquer les choses aux gens. Souvenez-vous du nom de mon papa parce qu'un de ces jours il va se retrouver ministre. Il a dit que Pinochet était sur le gril, qu'il remerciait la solidarité internationale et que le Chili

54

devenait le peuple des héros de la Résistance. Il a parlé de ses camarades emprisonnés et torturés et il a fini en levant le poing et en disant « *Venceremos* ». On l'a applaudi presque une demi-heure. Je suis allé le féliciter sur l'estrade et je pouvais à peine passer tant il y avait de monde. Après, le Français qui présidait le meeting a attrapé le micro et a dit que c'était très bien de crier « Solidarité internationale » mais voir un peu maintenant si ça allait se concrétiser dans la quête. André (il s'appelle) n'a qu'une idée, ramasser des sous pour la Résistance et, entre deux blagues, il en fait rentrer pas mal. Quand, finalement, j'ai rejoint papa, je lui ai tendu la main et je lui ai dit : « T'as été sensass, vieux. » Lui, il m'a ébouriffé les cheveux et il a dit aux gens qui étaient là : « Je vous présente mon fils. » On m'a aussitôt donné un tronc pour la quête et tandis que les Quilapayun attaquaient les chansons préférées du public, j'ai plongé dans la foule en disant selon les cas : « *Metan fuerte, compañeros* » ou « Soyez pas timides, camarades ». Et là-dessus, qui est-ce que je vois ? Chiche que vous ne devinerez pas qui était là en personne parmi les gens de la solidarité. Non, cette fois vous n'y êtes pas, ce n'était pas Michel. Mais rien moins, respectable public, qu'Édith Lecomte, ma camarade de classe, bien serrée dans des jeans impeccables et les mains plongées dans une de ces vestes de marin qui ont une seule grande poche sur le devant. Je suis resté paralysé avec mon tronc à la main et de l'autre j'aurais voulu pouvoir le cacher parce que jamais je n'aurais eu l'idée de demander de l'argent pour le Chili à mes copains de classe et moins encore à Édith Lecomte, « Boucles d'or » pour les amis, celle qui écrit les rédacs les plus tristes sur l'automne en octobre et les poèmes les plus gais sur le printemps en avril. J'ai toujours eu envie de lui demander de me prêter ses compos et envie aussi de passer ma main dans ses cheveux, de toucher ses boucles une à une puis toutes à la fois. Mais les filles de la classe, pendant les récréations, elles se réunissent toutes dans un coin de la cour et elles passent leur temps à rire et à couiner comme des souris. Il y en a qui se croient déjà des stars et qui doivent bien rester dix heures dans leur salle de bains à se passer des trucs. Il y en a même qui s'en passent en classe, alors ça je peux pas supporter. D'ailleurs, nous, les types de la classe, elles font semblant de ne pas nous voir. Toutes, plus ou moins, elles se croient des princesses destinées à ceux des grandes classes et elles leur font des mines que c'est un vrai scandale. Et nous, quand on s'approche pour leur parler, dès la deuxième phrase elles bâillent à s'en décrocher la mâchoire et elles ne te regardent jamais quand tu leur parles parce qu'elles sont occupées à repérer s'il n'y a pas un grand dans les parages, ce qui ne rate jamais.

Essayer de devenir leur copain c'est comme de commencer une partie d'échecs en perdant la reine. Total, on préfère aller taper dans un ballon ou remplir des feuilles pour le Loto. Il nous rend dingues ce Loto. C'est que dans la classe on veut tous devenir millionnaires. Ce qui fait qu'en voyant Boucles d'or je suis resté muet comme si on m'avait mis un cadenas à la bouche.

« Salut, elle me fait.

— Salut, je lui fais.

— Ça va ?

— Oui, ça va. Et toi ?

— Oui, très bien.

— Bon, tant mieux. »

On s'est regardés un millième de seconde, puis après on a baissé les yeux sur nos chaussures et après on a regardé autour de nous.

« Il y a pas mal de gens, hein ? a-t-elle dit.

— Oui, pas mal », ai-je répondu.

Conversation des plus philosophiques comme vous pouvez voir. Elle a regardé la tirelire que je promenais.

« On fait une quête ? », a-t-elle dit.

Moi aussi j'ai regardé ma main et j'ai pris un air des plus indifférents.

« Ouais, un peu », j'ai dit.

Alors elle a lissé ses cheveux sur le bord de son front et elle a eu un sourire, à peine. Elle a tiré par la manche un monsieur qui était à côté d'elle et qui avait des cheveux tout bouclés lui aussi. Elle m'a montré du doigt.

« C'est Lucas, le Chilien de ma classe. »

L'homme m'a tendu une grande patte et a secoué la mienne fort et longtemps.

« Enchanté, camarade, m'a-t-il dit.

— Mon père », a dit Édith.

Après quoi, avec le même doigt, elle lui a montré le tronc :

« Lucas aide à faire la quête pour le Chili. »

M. Lecomte a mis la main à sa poche et a glissé deux billets de dix francs dans la fente. Puis il est passé devant sa fille et m'a attrapé aux épaules en me regardant d'un air grave.

« Comment tu te sens à Paris ?

— Bien, monsieur.

— Aucun problème ?

— Non, monsieur.

— Alors, parfait. »

Le meeting prenait fin et les Quilapayun entonnaient *Venceremos* à la demande du public. M. Lecomte me lâcha pour chanter le refrain mais rien que la partie qui dit « *Venceremos, venceremos* », et après il m'a regardé pour que je lui chante la suite mais j'ai dû lui faire signe des épaules que je n'en savais rien parce que ça a l'air d'une blague mais je n'ai jamais pu l'apprendre. C'est parce que je ne comprends pas très bien les paroles. Par exemple le truc du creuset de l'histoire et du soldat inconnu. J'en ai eu honte quand même et je vais demander à papa ce que ça veut dire, comme ça je pourrai bien l'apprendre pour le prochain défilé.

Après, M. Lecomte a dit à Édith pourquoi elle ne m'invitait pas à dîner demain chez eux. Je ne comprends pas les paroles de *Venceremos* et pas davantage les femmes. A peine avait-il dit ça qu'elle pousse un cri de joie et saute en l'air comme si j'étais son petit fiancé à elle rien qu'à elle. Et pour le cas où ça n'aurait pas suffi, mesdames et messieurs, la voilà qui me plante un baiser sur la joue, mais appuyé et tout près de la bouche, j'en suis devenu rouge comme mon pull. « Demain à huit heures », me fait-elle, et elle s'en va, suspendue au bras de son papa et me disant adieu de la main comme si on était à la gare.

Le soir, il y a eu beaucoup de monde à la maison et on a versé tout l'argent des quêtes sur la table de la salle à manger. André (dont je vous ai déjà parlé), Alexandra et Jorge ont fait des liasses avec les billets et moi ils m'ont demandé de faire des piles avec les pièces de cinq francs. Mon petit frère devait en faire avec celles de un franc. Moi, de temps en temps je le surveillais en douce parce que, celui-là, pour s'acheter des chewing-gums ou des carambars, il était capable de piquer du fric à la Résistance.

Bref, tout le monde était vachement content et ils se sont mis à boire du vin et à nous envoyer acheter des poulets rôtis chez le charcutier du coin et encore du vin et, ce soir-là, personne n'a discuté et même ils ont beaucoup ri et papa est allé chercher les bouteilles de vin réservées à la semaine suivante et ils les ont bues aussi jusqu'à trois heures du matin et la bonne humeur ne faiblissait pas et ils disaient que l'an prochain ils fêteraient le 18 septembre au Chili. Le 18 septembre c'est notre fête nationale, on dresse des baraques dans les jardins publics et on vend de la *chicha,* une espèce de vin nouveau doux et pétillant qui n'est pas connu ici et des *empanadas* qu'on ne connaît pas non plus ici, pourtant c'est des rissoles de viande, œuf, olives et oignons, drôlement bonnes. Moi, ça m'étonne toujours qu'un pays aussi développé que la France ne connaisse pas ces choses-là.

A mesure que la nuit avançait, je devenais mélancolique. J'aurais voulu retenir dans ma maison cette nuit si belle et l'y laisser à jamais pour qu'elle soit le reste de ma vie. Les amis, papa chantant avec Tito qui l'accompagnait à la guitare, maman et Alexandra, un peu parties toutes les deux et riant comme les filles du lycée au bout du divan, André endormi sur la table et mon petit frère ronflant par terre à côté du chat. Pourquoi n'est-il pas possible de garder pour toujours les choses qu'on aime le plus ? Parfois je ne crois plus en Dieu parce que je vois que dans le monde les gens ont bien du mal à être heureux et si Dieu qui a pu faire le monde comme il voulait ne l'a pas fait heureux c'est que ou bien il n'est pas aussi puissant qu'on dit, ou bien même il n'existe pas. Je pense beaucoup à ces choses-là depuis quelque temps et j'aimerais pouvoir en discuter avec Homère pour qu'il repense tout ça avec sa logique d'Aristote et essaie un peu d'éclairer ce qui me tourne dans la tête. Par exemple, je n'arrive pas à comprendre que Dieu n'ait rien fait pour sauver nos amis et tous les gens que les militaires ont torturés et tués au Chili. Une fois même, j'ai voulu écrire au cardinal de Santiago pour le lui demander, parce qu'on dit que c'est quelqu'un de bien, mais quand j'en ai parlé à papa il a dit que j'arrête de dire des conneries. Il n'est pas très porté sur la philosophie, le vieux. A trois heures du matin, ils ont fini par s'apercevoir que j'étais en train de penser à des choses sous la guitare de Tito et maman a regardé sa montre et m'a envoyé au lit. « Laisse-le, a dit papa, pour une fois, il n'ira pas en classe. »

Il m'a fait venir m'asseoir à côté de lui et il a continué de parler avec les amis et de boire un petit rosé d'Anjou pour lequel il a un faible. Il me gâte parfois mon papa. Et tandis que je sentais sa grosse patte sur ma tête, je me suis mis à rêver au lendemain. D'abord, j'ai imaginé comment j'allais arriver chez Édith, ça serait ma première visite dans une maison française. J'ai vu qu'ici on a l'habitude d'apporter des fleurs, mais à l'idée qu'il me faudrait prendre le métro avec un bouquet à la main j'ai éprouvé une honte insurmontable. Je ne savais pas si Boucles d'or était romantique et aimait les bouquets, mais si je rougissais rien que d'y penser, qu'est-ce que ça serait à la porte des Lecomte ! Tout occupé à ces problèmes, j'avais oublié mon cher ami Michel avec son blouson de cuir. Mais quand soudain le téléphone a sonné pour André, ça me l'a rappelé et alors j'ai eu l'impression que tout ce que j'avais vécu ces dernières heures avait été une espèce de rêve. Couché dans mon lit, j'ai voulu croire que j'étais sauvé puisque je n'avais pas à aller en classe le lendemain et, les mains entre les jambes, j'ai essayé de m'endormir en pensant au baiser que m'avait filé Édith à la Mutualité. Je me demandais comment ça serait de sentir ces lèvres-là sur ma bouche. Roméo et moi c'était du pareil au même cette nuit-là, sauf que Roméo, évidemment, il a passé une nuit au moins avec sa Juliette avant que ses emmerdes commencent. Je crois que j'ai fini par m'endormir, la cervelle fondue d'avoir tant fonctionné. Sans compter un verre de vin par-ci par-là, entre deux chansons.

Le jour suivant, je me suis réveillé à onze heures du matin au milieu d'un silence vaste comme la mer.

Tout le monde dormait sans bruit sauf quand même Daniel qui est champion pour ronfler. Quelquefois, la nuit, il me faut me lever et le secouer pour qu'il se taise et que je puisse dormir. Quand les parents auront plus d'argent, je demanderai une chambre pour moi tout seul dans un nouvel appartement, une chambre où je puisse avoir une chaîne stéréo et des posters aux murs. Et aussi des revues avec des femmes nues que j'enfermerai à clef pour que mon petit frère ne me les pique pas et ne prenne pas de mauvaises habitudes comme moi.

Mais j'avais pas plutôt posé le pied par terre que la machine s'est remise à fonctionner. Au bout d'une demi-heure je m'étais rongé tous les ongles et j'avais le front chaud comme une théière. Je me suis fait le sandwich le plus lent de l'histoire contemporaine. J'y ai étalé du beurre, et passe que tu repasseras le couteau pendant dix bonnes minutes. Après quoi je ne l'ai même pas mangé. Je suis allé dans la salle de bains pour me préparer à l'entrevue avec Mlle Édith Lecomte. Ce qui n'était pas une petite affaire parce qu'avec la bobine que j'ai, je ne sais jamais par quel bout commencer. Sans compter ces quelques poils par-ci par-là qui font plus ridicule que *macho*. Sophie disait que j'avais un sourire sympa et parfois elle me demandait : « Souris pour voir », et toujours elle finissait par me faire sourire. Mais je me suis aperçu que les minettes elles aiment bien qu'on

ait l'air grave et même un peu rébarbatif. En plus, si
on passe sa vie à sourire on finit par avoir l'air con.
Ce qui fait que, finalement, je me suis lavé les
cheveux. J'ai ma petite idée là-dessus. J'ai l'impression que c'est avec mes cheveux que je me défends le
mieux. Je ne sais pas, par exemple, comment j'ai
réussi à les sauver des ciseaux de maman qui avaient
une envie folle d'y aller voir. Pour ma vieille, l'idéal
pour un garçon, c'est la coupe militaire. J'ai bien dû
passer une heure sous la douche et une autre à me
sécher. Au déjeuner, maman voyant une mèche de
mes cheveux toucher presque mon assiette m'a dit
que cet après-midi elle allait m'acheter un ruban.

Mais les choses sont comme elles sont et on ne
gagne rien à se raconter des histoires. Il était trois
heures et après viendraient quatre heures et cinq
heures finiraient bien par arriver. On a beau vouloir
arrêter le temps, les heures vous filent entre les
doigts. Et en plus, depuis le déjeuner, j'avais ces
mots qui me trottaient dans la tête : « A l'heure
dite », ce qui faisait très western à la gomme.
J'allais et venais dans ma chambre en me redisant :
« A l'heure dite. » J'essayais de penser à quelque
chose d'intelligent pour essayer d'oublier cette fou-
tue phrase mais rien à faire. A quatre heures et
demie, je suis allé jusqu'à la chambre de mon vieux
dans l'intention de tout lui raconter. Je le regardais
du pas de la porte ; il faisait ses exercices de français

et se concentrait sur des phrases débiles comme :
« M. Dupont a acheté une carte routière et une
carte de métro. » Alors mon père devait se poser la
question : « Qui a acheté une carte routière ? » ; et
il répondait : « C'est M. Dupont qui a acheté une
carte routière... » Mon père, il s'est mis dans la tête
que pour bien prononcer le français il lui fallait
pincer la bouche. Les mots lui filent entre les lèvres
comme des serpents.

Total, je suis allé prendre tout l'argent de mes
économies et je l'ai fourré dans mon soulier gauche.
J'ai toujours eu peur qu'on me vole ce que je gagne
au Prisu. Je ne sais pas pourquoi mais j'avais dans
l'idée d'aller voir Boucles d'or avec de l'argent.

Sans savoir comment, à cinq heures précises, j'ai
descendu l'escalier et je suis allé m'asseoir à l'arrêt
de bus, au coin de la rue. La seule chose que j'avais
pensé à mettre dans ma poche c'était un peigne. Et
quand je l'ai senti à travers ma parka beige, je me
suis dit que j'aurais mieux fait d'y mettre un de ces
couteaux qui font clic. Le ciel était gris et bas et mes
meilleurs amis en train, sûrement, de sauter de
rocher en rocher sur une plage grecque. Comment
est-ce que j'avais pu me fourrer dans une histoire
pareille ? Et de même qu'on ne peut pas arrêter les
pendules, on ne peut pas remonter le cours du
temps. Mais je ne pouvais pas m'empêcher de
penser à ce qui serait arrivé si je n'étais pas allé cette

3

nuit-là avec Sophie peindre des banderoles. Et à ce qui se serait passé si je n'avais pas connu Sophie. Je fermai les yeux et m'imaginai sans passé.

Alors soudain il y a eu un bruit qui m'a fait sursauter terrible. Une moto toute secouée de vibrations venait de s'arrêter devant moi et ledit Michel y était grimpé dessus avec son blouson de cuir et d'énormes lunettes de moto. Il tournait et retournait les poignées et la moto ronflait et explosait comme mille pétards.

« C'est toi le Chilien ?

— Oui, j'ai dit, si bas que je ne me suis pas entendu moi-même.

— Comment ?

— Oui ! », j'ai gueulé.

Il continuait de manœuvrer ses poignées et j'ai pensé alors à une chose qu'on nous avait racontée à l'école : quand les Indiens avaient vu arriver les conquérants espagnols à cheval, ils avaient cru que l'homme et l'animal ne faisaient qu'un et que c'était un monstre.

« Alors comme ça, t'es venu ? », m'a-t-il crié entre deux rugissements de la moto.

C'était une Honda CB 350, de celles qui dépassent le 170 à l'heure. Elle brillait comme un diamant et pourtant il n'y avait pas un poil de soleil.

« Je croyais que tu ne viendrais pas.

— Ben tu vois, ai-je dit.

— Alors c'est toi qui a envoyé mon frère à l'hôpital ?

— Je l'ai pas fait exprès », ai-je dit.

Il a donné une secousse à la poignée et a maintenu l'accélérateur à fond. Quelques gosses du quartier s'étaient arrêtés pour nous regarder.

« Tu veux dire peut-être que t'avais le pied en l'air et que mon frère est venu y planter ses couilles ? J'ai envie de t'attraper et de te tuer là sur place. »

Je me suis levé en secouant mon pantalon. J'ai regardé autour de moi mais il n'y avait pas le moindre ami, même pas pour me jeter un regard apitoyé. Les gosses du quartier étaient tous bouche ouverte devant la moto.

« Écoute, Michel, lui ai-je dit. Ne nous battons pas. Si tu veux, j'irai demander pardon à ton frère. »

Il a approché son visage et il m'a hurlé près des yeux :

« T'es fou ou quoi ? Tu veux que je t'emmène à l'hôpital et que mes vieux et la police apprennent que c'est toi qui a fait le coup ? »

Je ne savais plus que faire de mes mains et de mes pieds. Avec mes orteils je massais le billet qui devait servir à acheter quelque chose à Boucle d'or.

« Je préférerais lui demander pardon et qu'on se batte pas », ai-je dit.

Il lâcha l'accélérateur et me mit son poing ganté

sous le nez en le faisant vibrer comme un truc électrique.

« Écoute, Chilien, m'a-t-il dit en mordant ses mots, mon frère t'a pas dénoncé parce que c'est un homme. Tu sais ce qui te serait arrivé s'il avait cafardé ? On t'aurait expulsé de France, taré ! Toi et toute ta famille, imbécile ! Et où vous seriez allés ? Vous êtes comme des gitans, vous n'avez même plus de pays ! »

J'ai avalé un litre de salive. Pour la première fois de ma vie j'ai senti que je n'avais plus rien au monde à quoi me raccrocher.

« C'est vrai ? »

Michel a relevé ses lunettes et a passé une vitesse.

« Où tu veux qu'on aille se battre ? »

Maintenant que je voyais son visage, je soutenais son regard et j'essayais de lui dire non des yeux.

« Maintenant ?

— Et quand ? tu veux peut-être un rendez-vous à quinzaine comme chez le médecin ? »

J'ai essuyé mes mains moites sur mon jean. Cette idée de ma mère de mettre des ronds de skaï aux genoux ! On est les seuls de tout Paris, mon frère et moi, à en porter.

« Où ? ai-je dit en essayant de ne pas pleurer.

— Monte, je t'emmène.

— Merci, Michel », c'est tout ce que j'ai trouvé à dire.

Dès que j'ai été installé, il a fait partir la moto en la cabrant sur la roue arrière et il m'a fallu bien serrer les jambes et m'accrocher des pieds aux pots d'échappement.

« Tiens-moi, espèce de taré ! m'a-t-il crié. Si tu te tuais en route, j'aurais des ennuis. »

J'ai posé mes mains sur lui et là j'ai pu me rendre compte des muscles qu'il avait, le salaud. Et dur comme du béton. J'ai pensé : « Ce con-là il va me tuer. » Au feu rouge, j'ai failli me laisser glisser et prendre mes jambes à mon cou jusqu'à l'école qui était là, à deux pas. Malheureusement il me restait encore un peu d'amour-propre. Maman dit toujours que c'est la dernière chose qu'on perd. Elle dit aussi qu'elle ne voudrait pas « perdre la face ». Toujours est-il que je filais en taxi vers la mort. Pourquoi étais-je monté sur cette moto ? Pourquoi étais-je venu à ce rendez-vous de cinq heures du soir ? Pourquoi avais-je passé tout un an à Paris sans que personne me touche un cheveu et maintenant il y avait ce Michel qui voulait m'assassiner parce que j'avais esquinté son frère ?

Michel remonta la rue de Crimée jusqu'en haut des Buttes-Chaumont puis tourna à gauche, et là, à un arrêt de bus, j'ai vu des copains du lycée qui attendaient. En me voyant passer, ils m'ont fait bonjour de la main et moi je leur ai fait bonjour aussi et ils m'ont suivi un bon moment du regard, jusqu'à ce que la moto se perde sous les arbres. Michel prenait à droite l'avenue de la Mouzaïa jusqu'au boulevard extérieur qu'il traversa et il s'engagea dans un terrain vague derrière une espèce d'église. Il s'est mis à descendre en cross sur les pentes et il a fallu que je m'accroche ferme. Il s'est arrêté au bas des pistes de cross qui dominent le boulevard périphérique. C'était vachement désert et abandonné comme endroit et je me suis senti tout pareil. Le ciel gris, uniforme et bas ajoutait encore à la solitude. Il ne pleuvait pas mais l'air était humide. Le double serpent des voitures, en bas sur le périf, me semblait irréel. La nuit commençait à tomber. Michel, pour la première fois, lâcha l'accélérateur et coupa le contact. La moto s'arrêta après quelques pétarades et on entendit mieux alors le ronflement uniforme des voitures. Michel monta la moto sur sa béquille et se tourna vers moi.

« C'est là ? ai-je dit.

— C'est là. »

Je descendis d'abord, puis lui, et il s'étira et gonfla ses poumons comme si on était à la plage. Je restais près de la moto, les mains dans mes poches. Ça faisait drôle, cette Honda flambant neuve sur l'herbe moche et râpée, sans compter une vieille carcasse de voiture un peu plus loin et des boîtes à conserve par terre.

70

« Alors, Chilien, comment tu veux te battre, à la boxe, à la lutte ou à coups de pierres ?

— Écoute, Michel, ai-je dit en le calmant de ma main ouverte comme un petit curé, je ne veux pas me battre avec toi. D'abord parce que tu es beaucoup plus fort et grand que moi, et ensuite...

— Ensuite parce que t'es un trouillard. »

Il m'a envoyé un revers de main des plus méprisants et j'ai un peu reculé et je suis resté là à le regarder, les épaules ramenées en avant et les mains croisées sur ma poitrine.

« Je ne suis pas trouillard, ai-je répondu. Mais je ne peux pas me battre avec toi parce que je n'en ai pas envie. On se bat quand on est en rogne. »

Il fit un pas vers moi et me poussa d'un coup de genou sur mes mains croisées. J'ai perdu un peu l'équilibre et quand je me suis remis d'aplomb je me suis contenté de le regarder, les bras ballants.

« Et maintenant, tu l'as, la rogne ? »

J'ai fait comme si je réfléchissais.

« Non, Michel, non. Je ne suis pas en rogne du tout. »

Il releva ses lunettes de moto et se passa la main sur le visage. Même il se gratta le nez un instant. Moi, je ne savais toujours pas quoi faire de mes mains, alors je les ai remises dans mes poches et je me suis frotté les cuisses sans le quitter des yeux. C'est alors qu'il a pris son élan et qu'il m'a envoyé

71

un coup de pied dans les tibias qui a résonné quand même pas mal.

« Et maintenant ?

— Maintenant quoi ?

— T'as la rogne ? »

J'ai sorti mes mains de mes poches et je me suis mis à faire craquer mes doigts. J'avais oublié de vous dire que c'est une manie que j'ai. Sophie me disait que c'était très mal élevé.

« Non, répondis-je.

— Tous les Chiliens sont aussi trouillards que toi ?

— Je ne suis pas trouillard, Michel. Et les Chiliens ils sont drôlement courageux. T'as jamais entendu parler de José Carrera et d'Antonio Prat ?

— Non, jamais.

— Et Allende ? »

Michel a fouillé dans la poche supérieure de sa veste en cuir et en a retiré une cigarette pas mal tordue. Il se l'est mise à la bouche et a refait glisser sa fermeture Éclair large comme une agrafeuse. Ces blousons valaient dans les six cents francs au Printemps ; ils me faisaient tellement envie que j'avais failli y dépenser l'argent de mon voyage en Grèce. Michel a allumé sa clope avec un de ces briquets japonais où il y a une femme nue dessus.

« Nous aussi, c'est pas les héros qui manquent.

72

Napoléon, tu connais? Ou est-ce que tu crois que Napoléon était un trouillard?

— J'en sais rien, Michel. Je suis pas très fort en histoire. Si tu me le dis, je le crois. »

Il a tiré une grosse bouffée de sa cigarette puis il l'a jetée et l'a écrasée du talon. A croire qu'il n'avait fumé que pour que je voie ses Santiagues.

« Bon, dit-il, on y va?

— D'ac », ai-je dit.

Et ni l'un ni l'autre on n'a bougé. Il a fini par retrousser les manches de son blouson et par ouvrir la fermeture Éclair du haut en bas. Il a mis ses poings en garde devant son cou et moi aussi. Il a fait une feinte pour m'éprouver et moi je n'ai pas réagi. Il a laissé retomber ses bras, a joint ses deux mains par le bout des doigts et me les a secouées sous le nez.

« Mais dis-moi, Chilien, si je te cogne, tu vas te défendre? »

La salive s'était accumulée dans ma bouche et j'ai eu du mal à l'avaler.

« Oui, occupe-toi plutôt de cogner.

— T'as la rogne?

— Non, et toi?

— Comme ci, comme ça. En garde! »

Il s'est remis en garde et a commencé à tourner autour de moi. Je l'imitais tant bien que mal. Je ne m'étais jamais battu de ma vie entière. Quand j'étais

73

petit, peut-être, mais je ne me rappelais pas. Et soudain, comme un coup de sabre, il me fila avec le tranchant de la main un kungfu qui me fit bourdonner la tête et me laissa l'oreille en feu. J'ai trébuché sur le côté et j'allais toucher le sol quand il m'a relevé d'une gifle sur la bouche. J'ai dû me mordre la langue sous le coup car j'ai tout de suite senti le goût du sang.

« Et maintenant, tu la sens venir, la rogne ?

— Un peu. Tu m'as fait saigner, salaud.

— Ça t'apprendra. »

Il m'a lancé un autre coup dans les tibias et m'a tordu l'oreille déjà chaude. En me retournant, il m'a semblé voir un gosse qui nous regardait de là-haut, sur le terre-plein de l'église. Michel m'a attrapé par le devant de ma chemise et m'a poussé en arrière. Je suis tombé et cette fois j'ai senti la terre m'entrer dans la bouche. Je me suis pissé dessus aussi, impossible de me retenir et je sentais ma jambe toute collante. Je me suis relevé en reculant.

« Et alors cette fois, Chilien, ça y est ? »

Je me suis essuyé la gueule d'un revers de la main, refermée comme un marteau et j'ai hurlé, les yeux déjà voilés :

« Je vais te tuer !

— Pauvre poulet », a-t-il dit.

Ce furent ses dernières paroles avant de me faire une prise autour du cou, me bloquant en appuyant son genou dans mon dos. Je suis parvenu à me libérer avec un bon coup de coude dans son estomac qui l'a pris de court. Et à partir de là, ce ne fut plus qu'un paquet de coups de pied, de coups de poing qui parfois donnaient sur un corps et d'autres fois se perdaient en l'air. Je me sentais le cou gonflé de rage. Comme si j'avais la langue et la gorge bourrées de larmes. Mais je ne risquais pas de me mettre à pleurer, je pensais plutôt à lui fourrer les doigts dans les yeux et à lui faire péter la tête avec une barre de fer. La seule sensation que j'avais dans le corps c'était une envie de boire de l'eau, boire jusqu'à en éclater. Soudain, un coup de poing m'a envoyé comme une secousse électrique terrible sur l'os du nez. J'ai été plongé dans une mer de feux d'artifice, de jupes de femmes de toutes les couleurs volant au vent, on me pulvérisait des verres de couleur dans les yeux. Merde! une immense église s'effondrait dans mon crâne, ma bouche était faite de cristaux de sel, Michel n'était plus qu'une ombre, je ne pouvais plus situer son visage, je revis des choses étranges de ma vie, difficile à dire avec des mots. Par exemple, quand je jouais avec mes cousines dans le noir, qu'elles riaient et se laissaient un peu toucher entre les cuisses, ou encore des mappemondes où les pays étaient rayés comme des blessures, des films de Tarzan où la forêt était noire et les fleuves de sang, et Michel qui n'arrêtait pas de cogner mais je ne le sentais presque plus, c'était comme si ma tête entière n'était plus qu'un écran de cinéma et ma bouche un oiseau mort, des trucs bizarres comme ça. Et Michel qui cognait de plus en plus dur, comme pour me traverser la peau et les os, pour me traverser l'estomac et le cœur.

« Michel ! je criai. Michel ! merde ! ça te servira à quoi de me tuer ? »

Mais je n'entendais pas le son de mes paroles. Je m'étais séparé de mon corps. Je flottais sur la mer d'Antofagasta, toute bleue, en vacances dans le nord du Chili. Je vis mon père et ma mère en forme de flammes, je les sentis me lécher tout doucement et moi je sortais du corps de ma mère et tout était comme un incendie.

Quand je revins à moi, Michel était étendu par terre à mes côtés et moi je laissais échapper la pierre que j'avais dans la main. Une large tache de sang s'étalait au-dessus de la bouche de Michel. Je regardai autour de moi et tout était devenu sombre. A Paris, chaque fois qu'on pense à regarder le ciel, il est déjà nuit. Et une nuit qu'on dirait faite d'un gros nuage noir. Je me considérais du sommet du crâne jusqu'à la taille et je ne savais pas comment calmer les tremblements dont j'étais secoué. J'étais devenu électrique. Mes abattis battaient la breloque pour leur propre compte. Je me suis assis par terre à côté de la moto, j'ai appuyé ma tête contre la roue avant, et la seule chose que j'ai trouvé à faire ça a été de pleurer. Vous m'excuserez mais ça faisait plus d'un an que je n'avais pas versé une larme. Au début, quand papa et maman s'enfermaient pour pleurer sur les nouvelles du Chili, j'en avais de la peine pour eux, et comme je suis pas mal sentimental je sanglotais moi aussi. Un jour, papa est sorti de la chambre les yeux rouges et en reniflant et il m'a trouvé en train de pleurer dans le fauteuil.

« Pourquoi tu pleures ? m'a-t-il demandé.

— Parce que je vous ai entendus pleurer.

— Ce n'est pas une raison, m'a-t-il dit. Ici on ne pleure que lorsqu'on n'en peut plus, et pour des choses graves, compris ?

— Oui, papa.

— La prochaine fois que je t'y reprends, ça sera une bonne gifle pour t'apprendre à ne pas pleurer sans raison. Vu ? »

Papa est pas mal nerveux et quand je lui casse trop les pieds parfois il me bouscule un peu mais jamais de sa vie il ne m'a battu. Même quand je lui ai volé de l'argent. Même quand j'ai failli foutre le feu à la maison, à Santiago, en allumant un vrai feu d'Indien dans le jardin. Mais là, contre la moto, je me suis dit que si le vieux me voyait pleurer, cette fois il ne me dirait rien. Mon père il est compréhensif une fois tous les dix ans mais cette fois-là il l'est bien.

Je laissai couler tout ce que j'avais dedans et

pendant un long moment je n'ai pensé à rien. Je me sentais enveloppé d'une peine qui ne laissait pas la plus petite place pour autre chose. Je me rappelle qu'il s'est mis à pleuvoir doucement, ce qu'ils appellent ici de la bruine, et que c'était bon de sentir un peu d'eau sur mon visage en feu. A cette heure-ci, mes copains de classe devaient être vautrés sur leur tapis devant la télé, en train de regarder *Thierry la Fronde,* après avoir mangé un bif grand comme une assiette, et mon père devait être en train d'essayer de lire *le Monde* avec son dico.

Je me suis rapproché de Michel et j'ai glissé ma main sous sa nuque.

« Michel, lui ai-je dit, fais pas le con, ne crève pas. »

N'importe quel endroit au monde plutôt que ce terrain en pente, sinistre comme la descente à l'enfer. J'ai approché ma boucle de ceinture de la bouche de Michel. J'avais vu faire ça dans un film. Si le métal se ternit c'est signe qu'il est vivant.

« *Miguelito,* je lui ai dit en espagnol. *Estàs vivo y coleando.* Réveille-toi et regarde-moi. Sois pas triste, t'es pas mort. »

J'ai appliqué mon oreille sur son cœur, et quand j'ai eu bien entendu le toc-toc je suis resté comme ça un moment, à sourire malgré moi.

« Allez, Michel ! Qu'est-ce qu'elle dirait ta maman si elle te voyait étendu dans un terrain vague au milieu des boîtes de conserve ? Dépêche-toi de te réveiller. »

Mais rien à faire. Il me sembla voir quelqu'un là-haut, à côté de l'église. C'était peut-être le garçon que j'avais cru apercevoir tout à l'heure et je lui ai fait de grands signes, qu'il vienne m'aider. Mais pas plutôt vu ça qu'il a détalé. Le pire c'est que soudain il s'est mis à pleuvoir comme si on avait appuyé à fond sur l'accélérateur du ciel. Tout a été trempé en moins de deux et la nuit était devenue noire. J'ai regardé s'il n'y avait pas par là un endroit où j'aurais pu mettre Michel à l'abri, mais rien de rien. Alors je me suis mis à tourner autour de lui en donnant des coups de pied aux pierres et aux vieilles boîtes rouillées. Pendant un bon quart d'heure j'ai laissé mes cheveux goutter dans mon cou jusqu'au moment où j'ai senti que l'eau traversait aussi ma chemise. Alors j'ai eu l'idée de laisser remplir d'eau une grosse boîte de conserve et de la vider d'un coup sur la tête de Michel. Et, en effet, pour la première fois, il a un peu remué, il a ouvert les yeux une seconde et les a refermés aussi sec, il a dit quelque chose que je n'ai pas compris et il s'est rendormi. Pour faire bonne mesure, un concert phénoménal de coups de tonnerre et d'éclairs s'est ajouté au déluge universel. Tout ça très chouette à regarder de sa fenêtre, bien au chaud chez soi, le ventre plein et le cœur à l'aise. Les gouttes, en cognant par terre, faisaient gicler de la boue et la moto flambante devenait dégueulasse. J'avais ouvert la fermeture Éclair de la poche du blouson de Michel et j'ai cherché une cigarette. Il y en avait deux et, en me couvrant de tout mon corps, j'ai réussi à en allumer une. C'était bon le chaud de la fumée qui vous râpait la gorge et j'ai pris le temps de bien la savourer tandis que le terrain devenait un vrai bourbier, on ne pouvait presque plus marcher, à se demander comment on ferait pour remonter. Je ne sais pas si ce que je vais dire est idiot mais il me semble que parfois une cigarette est votre meilleur ami. Et en fumant, là, je ne me suis plus senti aussi seul. Puis une grosse moto est passée sur le périf avec un bruit doux et ça m'a flanqué le cafard, d'autant que je commençais à claquer des dents. Je me suis accroupi près de Michel et je pensais qu'à cette heure-ci Édith devait coiffer ses belles boucles pour aller m'ouvrir quand je sonnerais. J'ai pensé aussi que sa mère avait peut-être préparé quelque chose de bon pour me recevoir. Peut-être même une bouteille de bourgogne ! Et moi, il faudrait que je dise « non madame, merci madame, je ne bois que de l'eau », tout ça pour faire bonne impression. Et je pensais comment serait Édith, chez elle, dans la lumière de sa maison. Et je répétais : « Boucles, bouclettes » comme un disque rayé. Soudain, Michel a fait un mouvement et j'ai vu qu'il avait les yeux ouverts et qu'il se passait le dos de la main sur sa veste pour enlever la boue. Je l'ai attrapé par l'épaule et je l'ai soutenu pour qu'il puisse s'asseoir. Un coup de tonnerre a pété si près que j'ai cru qu'on allait être fendus en deux, et il s'est mis à pleuvoir encore plus fort, si c'est possible.

« Qu'est-ce qui s'est passé? a demandé Michel.

— On s'est battus.

— Oui, ça je sais, mais qu'est-ce qui m'est arrivé, à moi?

— Je ne sais pas. Soudain, j'ai perdu les pédales et j'ai cru que je t'avais tué. »

Il a secoué la tête d'un air perplexe et a accepté le bras que je lui tendais pour se relever.

« Alors, c'est toi qui a gagné? Tu m'as mis knock-out? »

Il tombait tant d'eau et il faisait si noir que je lui voyais à peine le nez sauf quand il s'est mis à fourrager dedans comme s'il avait cherché quelque chose tout au fond. Après il a penché la tête et s'est tapé sur la nuque comme s'il avait voulu faire tomber ce qu'il avait cherché au fond de son nez.

« Il pleut », a-t-il constaté.

Super doué le gars. J'ai pris un vieux journal aussi trempé que nous et je le lui ai mis sur la tête.

« Tu sais quoi, Chilien? Il vaut mieux qu'on arrête de se battre. On pourrait prendre froid.

— D'accord », j'ai dit.

On a rejoint la moto en sautant entre les flaques, Michel l'a enfourchée et le petit bijou est parti au quart de tour. Pendant qu'il la laissait un peu chauffer, j'ai tordu le bas de mes pantalons et j'ai palpé ma semelle du bout des orteils pour voir si mes billets étaient toujours là. J'aurais dû les envelopper d'un plastique parce que mes souliers étaient une vraie mare. En plus, j'avais la gueule enflée. Je devais avoir un vrai profil de citrouille.

« Tu m'as enflé la gueule », j'ai crié à l'oreille de Michel.

Il s'est retourné, m'a attrapé la mâchoire et me l'a malaxée avec la technique d'un médecin.

« Alors on est à égalité », a-t-il décrété.

J'ai approuvé de mon air le plus solennel. La moto a démarré et j'ai eu bien besoin de m'accrocher à ses épaules car le terrain ressemblait à une piste de patinage. Mais, bien sûr, la stabilité de la Honda CB 350 est célèbre dans le monde entier. Au moment où il enfilait la rue de la Mouzaïa, je lui ai crié :

« Dis donc, Michel, je t'invite à manger une pizza.

— T'as du pèze ?

— Un peu. »

Nous sommes allés à la pizza Napoli, rue du Tunnel, et quand on est entrés, ça a fait une petite mare sur le seuil. Les Italiens ont ouvert une bouche

82

grande comme un four. Dommage qu'on n'ait pas eu une glace pour leur raconter comment on se voyait. Je sentais ma bouche me pendre jusqu'au cou et on apercevait à peine un peu du nez de Michel au milieu d'un emplâtre de boue.

On est allés à une table du fond pour ne pas se faire remarquer davantage et le garçon s'est amené avec un air mi-rigolard, mi-estomaqué.

« Il pleut pas mal, hein ? »

Les Italiens aussi sont tout ce qu'il y a de perspicaces. Ils parviennent à des conclusions géniales sans même passer par la fameuse logique d'Aristote.

On a demandé deux pizzas grand format avec double ration de fromage et de scampi. En les attendant, on a éclusé un chianti à vingt balles, épais à le mâcher.

« J'irai saluer mon frère de ta part, a dit Michel.

— Tout à fait d'accord, ai-je dit.

— Quand est-ce que tu repars au Chili ?

— Dès que Pinochet sera liquidé, par le premier avion.

— Et ça sera quand ?

— Ça va pas tarder. »

Il a fait voyager une gorgée de vin dans sa bouche et s'est palpé la nuque avec une grimace.

« Quand tu seras retourné là-bas, j'aimerais bien venir te voir. C'est beau ?

83

— Y a de tout.

— Et les femmes, elles sont comment ?

— Chouettes. Il y a des plages fantastiques et tu peux faire du ski à Farellones. »

Michel a achevé d'un trait son verre de vin et a sorti de sa poche sa dernière cigarette toute tordue.

« Allende était un type salement courageux, a-t-il dit. C'est vrai qu'il a combattu tout seul contre l'armée des putschistes ? Contre les avions et les mitrailleuses ? »

Je l'ai regardé et j'ai vu qu'il ne plaisantait pas, qu'il était sérieux comme un pape. Comme ça avait l'air de l'intéresser, j'ai répondu :

« Faut pas pousser, il y a beaucoup de nos camarades qui sont morts avec lui. Et beaucoup d'autres qui se sont fait tuer ailleurs dans le pays. »

Le garçon a apporté les pizzas et, parole, elles étaient dignes d'être accrochées au Louvre à côté de la *Joconde.* Ça me faisait presque peine de les manger. On a encore rempli nos verres et Michel a levé le sien en disant : « A la tienne. »

J'ai heurté son verre et aussi sec j'ai démarré à fond. Depuis l'époque d'Homère et de Socrate, j'étais pas revenu à mon remontant préféré.

On a mangé dans un silence religieux jusqu'à ce que la dernière miette ait disparu, et finalement je lui ai dit :

« Tu sais, Michel, à un moment, pendant que tu me cognais, j'ai cru que j'allais mourir.

— Excuse-moi.

— Non, c'est pas ça. Mais j'ai eu comme une espèce de rêve.

— Comment ça ?

— J'ai revu le moment où je suis né et j'ai senti que ma mère me passait sa langue sur la joue. Ce qui était drôle c'était que mes parents étaient comme deux flammes. Tu vises ? »

Michel a bu une gorgée puis il s'est renversé sur sa chaise, les mains dans les poches.

« Toi, t'as eu une hallucination. Tu sais ce que c'est ?

— Non, il faudra que je cherche dans le dico.

— Moi non plus, je sais pas exactement, mais c'est un truc comme le pressentiment de quelque chose. Tu comprends ?

— Oui », ai-je murmuré.

Mais je n'avais rien compris et je me suis dit que j'allais chercher dans le dictionnaire.

Quand est venu le moment de payer, il m'a bien fallu enlever ma chaussure gauche et fouiller dans ma chaussette. J'en ai sorti un billet de cent balles.

« C'est là que tu gardes ton argent ? m'a demandé Michel en examinant mon pied nu.

— Oui, j'ai dit, j'ai peur qu'on me le fauche.

— Bon Dieu, mais il y a des banques pour ça.

— Bof, j'aime pas ça, j'ai dit.

— Mais tout le monde met son argent à la banque ! Le bas de laine et le matelas, c'est passé de mode !

— Écoute, Michel, on va pas encore se taper dessus pour une question de banque.

— Non, d'accord.

— Bon, alors, on n'en parle plus.

— OK. »

Le garçon a pris le billet par un coin et l'a examiné comme une souris qu'il aurait attrapée par la queue.

« Qu'est-ce qu'il y a ? je lui ai fait. C'est un billet de cent francs, non ?

— Oui, m'a-t-il dit, mais je n'en ai jamais vu un dans cet état. »

Le lundi matin, je suis arrivé en classe avec un bandeau sur l'œil et Édith ne m'a pas adressé la parole. J'ai essayé de l'approcher mais elle est partie avec ses copines rire dans les cabinets des filles. Le mardi, j'ai mis dans mon cartable une boîte de chocolats (et des bons) et, par-dessus, la traduction en français d'un des *Vingt Poèmes d'amour* de Pablo Neruda. Celui qui commence par :

J'aime que tu ne dises rien, que tu sois comme absente,
Tu m'entends de très loin, ma voix ne t'atteint pas,

86

On dirait que tes yeux viennent de s'envoler,
On dirait qu'un baiser t'a refermé la bouche.

Et au-dessus, j'ai écrit : « Les bonbons et le poème
sont pour toi. » J'ai posé le tout sur sa chaise avant
le cours de français et j'ai pu voir de ma place
comment elle rougissait en le découvrant. Le mer-
credi, est passé de main en main un message que j'ai
encore sur moi et qui disait : « Au week-end je fais
une boum chez moi, je t'invite. »
    Le jeudi j'ai enlevé mon bandeau. Le samedi, on
a dansé cheek to cheek *Baby I want you to want me,*
je lui ai dit que je l'aimais et elle m'a dit d'accord. Le
seul ennui c'est que le vieux a pas pu s'empêcher de
me demander ce qui m'était arrivé. Et pourtant,
j'essayais de ne me présenter que de profil quand il
était là. Et quand je lui ai plus ou moins raconté
l'histoire, il m'a quand même envoyé une baffe et il
ne m'a pas parlé de trois jours. Le jeudi, un certain
Michel Marini est venu chez nous, vous devez voir
qui c'est — la semaine d'avant, on avait passé une
soirée ensemble aux Buttes-Chaumont. Il s'est
amené avec un bourgogne qui avait encore le prix
sur l'étiquette : 30 francs. On est allés le boire dans
ma chambre en écoutant le hit-parade à la radio. On
a parlé de choses et d'autres, il m'a dit qu'il avait lu
un truc sur le fasciste Pinochet dans un journal et il
m'a demandé s'il pouvait faire quelque chose pour

emmerder Pinochet. Papa lui a passé le téléphone d'André et la semaine suivante Michel s'est pointé à une réunion du comité France-Chili. Quand mon père l'a vu arriver, il m'a regardé un moment et il m'a dit que je faisais du prosélytisme. Encore un mot qu'il va falloir que je cherche dans le dico.

NOTE DE LA TRADUCTRICE

Toutes les modifications apportées au texte initial l'ont été sur la demande ou avec l'accord de l'auteur.

IMP. BUSSIÈRE À SAINT-AMAND (CHER)
D.L. 2ᵉ TRIM. 1982. Nᵒ 6223 (718).

Collection Points

SÉRIE POINT-VIRGULE

Collection Points